Connaitre et maitriser
la nouvelle orthographe

*Les rectifications ne sont pas la révolution
dont on agite le drapeau rouge, un début
d'ortograf fonétic, ni même une vraie
réforme, mais quelques améliorations comme
celles que l'Académie a introduites à chaque
édition de son dictionnaire, en provoquant les
mêmes gémissements :* poëte *a perdu sa
poésie avec son tréma,* phthisie *son
agressivité avec son deuxième* h, *soupirait-on
en 1878.*

– André Goosse

Chantal Contant
Romain Muller

Connaitre et maitriser
la nouvelle orthographe

Guide pratique et exercices

De Champlain S. F. inc.
2005

AVANT-PROPOS

Ajuster, rectifier, corriger, réformer, moderniser... En proposant des rectifications de l'orthographe du français, à la fois mesurées et intelligentes, sages et utiles, les instances francophones qui veillent sur notre langue n'ont rien fait d'autre que de perpétuer la tradition : adapter notre orthographe pour la rendre plus cohérente, plus « transparente ».

Les modifications proposées touchent environ *deux-mille* mots et sont limitées à quatre grands domaines : l'emploi du trait d'union (vous venez d'en voir un exemple) et la soudure, le singulier et le pluriel, les accents et le tréma, quelques consonnes doubles. Officiellement recommandée – l'Académie française et d'autres instances francophones compétentes (notamment en Belgique et au Québec) rappellent qu'actuellement, aucune des deux graphies[*] (ni l'ancienne ni la nouvelle) ne peut être tenue pour fautive –, la nouvelle orthographe ne bouleverse pas nos habitudes, mais elle permet bel et bien un apprentissage plus efficace.

La dernière fois que vous avez ouvert votre dictionnaire, était-ce pour y lire une définition, ou pour vérifier la manière d'écrire tel ou tel mot ? Combien de fois vous êtes-vous déjà demandé comment mettre tel mot au pluriel ? Que vous le regrettiez ou que vous en soyez heureux, il est un fait : les rectifications ne suppriment pas comme par enchantement toutes les anomalies de l'orthographe française. Mais elles ne peuvent qu'apporter une plus grande rigueur, et, en ce sens aussi, s'inscrivent dans la continuité des réformes engagées au cours des siècles passés, grâce auxquelles nous n'écrivons plus *les enfans* mais *les enfants*, pour ne prendre que cet exemple.

Ce livre, conçu comme un guide pratique, est là pour vous donner des conseils utiles, mais aussi et surtout pour vous familiariser avec l'emploi de la nouvelle orthographe. Les exercices sont accompagnés d'un corrigé commenté, d'un tour d'horizon complet de chaque point, d'interrogations qui piqueront votre curiosité, de justifications... Un résumé, une bibliographie et un index complètent l'ouvrage.

Chantal Contant
Romain Muller

---

[*] La graphie d'un mot est la manière dont on l'écrit.

Une orthographe
en évolution

Pourquoi rectifier l'orthographe ?

L'orthographe française est l'une des plus difficiles au monde. « Pourquoi rectifier l'orthographe ? » demandent certains. « Pourquoi pas ? » pourrait-on leur répondre... L'orthographe n'a cessé d'évoluer en français au cours des siècles passés et elle continue de le faire dans les autres langues. Pourquoi en irait-il autrement aujourd'hui ?

Alors qu'un jeune italophone de huit ans est capable d'écrire une lettre à sa grand-mère dans une orthographe irréprochable, un francophone de quinze ans s'achoppe encore sur bien des difficultés.

Les rectifications permettent de supprimer de nombreuses incohérences de notre orthographe, par exemple en alignant l'orthographe de *combattivité* sur celle de *combattre*. En outre, des points souvent flous s'éclaircissent grâce à elles : par exemple, alors que les ouvrages de référence se contredisaient souvent sur la conjugaison de verbes se terminant à l'infinitif par *-eler* ou par *-eter*, la nouvelle règle est simple et limpide.

Pour autant, ces ajustements orthographiques ne méritent pas l'appellation de « réforme » : ils sont limités, de manière à ne pas défigurer les textes que nous lisons au quotidien. C'est ce expliquait Maurice Druon, de l'Académie française, en présentant les nouvelles règles :

> *« Nous attendons bien que certains nous reprochent d'être allés trop loin, et d'autres pas assez. Ce sera la preuve que nous avons travaillé dans la sagesse, l'amour de la langue, et le souci de la transmettre le mieux possible aux générations nouvelles. »*

UN PEU D'HISTOIRE...

La langue a toujours évolué, et continue d'évoluer d'elle-même : tous les jours, des mots et des sens nouveaux apparaissent. L'orthographe – souvent considérée comme le «vêtement de la langue» – évolue aussi ; mais son évolution est moins naturelle, et doit être guidée, et encadrée. Les rectifications actuelles s'inscrivent dans une longue histoire dont il n'est donné ici qu'un bref aperçu.

L'orthographe évolue

Alors que les *Serments de Strasbourg* (842) sont généralement considérés comme la marque de naissance du français, l'Académie française a vu le jour dans la première moitié du XVIIe siècle. Sa principale fonction sera *«de travailler avec tout le soin et toute la diligence possibles à donner des règles certaines à notre langue et à la rendre pure, éloquente et capable de traiter les arts et les sciences»*, précise le vingt-quatrième article des *Statuts et règlements* de février 1635.

Mais un siècle plus tôt, dans les années 1530, Clément Marot avait déjà entrepris de codifier l'accord du participe passé. Louis Meigret taxera les règles qui régissent cet accord de *«lourdes incongruités»* ; en 1542, il émettra des propositions orthographiques pour aligner l'écriture sur la prononciation dans son *Traité touchant le commun usage de l'escriture*. En 1550, le même Louis Meigret publie son *Trętté de la grammęre françoęze*, où il propose un phonétisme orthographique.

Au même moment, Étienne Dolet traite entre autres de grammaire, d'orthographe et d'accentuation dans *L'Orateur Francoys*. Puis, les *Remarques sur la Langue Françoise utiles à tous ceux qui veulent bien parler et bien escrire* (1647), de Vaugelas, ont un retentissement important : une décennie après leur publication, Pierre Corneille, avec l'aide de son frère Thomas, décide de corriger ses tragédies pour s'y conformer.

Plus d'un demi-siècle après sa création, l'Académie publie la première édition (1694) de son *Dictionnaire*. Celle-ci comprend près de dix-huit-mille mots et témoigne d'un souci de compromis entre l'«ancienne orthographe», influencée par l'étymologie, et l'orthographe fondée sur la prononciation, que prônent les réformateurs de ce temps. Ainsi est entérinée la suppression de nombreuses consonnes purement étymologiques et non prononcées, et s'amorce timidement l'usage des accents.

La troisième édition (1740) du *Dictionnaire* de l'Académie change la graphie d'un mot sur trois.

Au XIXe siècle, Émile Littré publie son *Dictionnaire de la langue française* (1872). Dans plusieurs articles, il insère des remarques portant sur l'orthographe, et sans doute serait-il enchanté des rectifications actuelles, puisqu'il note, par exemple :

[Article *arguer*] L'Académie ne conjugue pas ce verbe ; mais il faut écrire avec tréma : *j'arguë, tu arguës, il arguë* ; et même il serait bien d'écrire *argüer, argüant, argüé*, pour indiquer la prononciation [...].

→ En nouvelle orthographe, on place un tréma sur le *u* dans toute la conjugaison (*argüer, j'argüe*, etc. ; voir p. 84).

[Article *céder*] La syllabe *cé* prend l'accent grave devant une syllabe muette, *je cède*, excepté au futur et au conditionnel où l'accent aigu est conservé, *je céderai* : mauvaise et inutile contradiction.

→ En nouvelle orthographe, cette «mauvaise et inutile contradiction» disparait (voir p. 76).

[Article *frisotter*] L'Académie n'est pas conséquente dans l'orthographe de ces fréquentatifs, écrivant *clignoter, tripoter* par un seul *t*, et *baisotter, frisotter*, etc. par deux *tt*.

→ En nouvelle orthographe, on écrit *frisoter* (voir p. 95).

[Article *maximum*] Les mathématiciens disent au pluriel *des maxima* ; mais les grammairiens demandent qu'on traite ce mot comme français, et qu'on dise *des maximums*.

→ En nouvelle orthographe, on a, d'une manière très régulière, *un maximum, des maximums* (voir p. 61).

[Article *persifler*] Ce mot, composé avec *siffler*, devrait s'écrire comme *siffler*.

→ C'est le cas en nouvelle orthographe : *persiffler* (voir p. 99).

[Article *réglementaire*] On ne voit pas pourquoi l'Académie, écrivant *règlement* par un accent grave, écrit *réglementaire* par un accent aigu.

→ En nouvelle orthographe, on écrit *règlementaire* (voir p. 80).

On notera que le *Dictionnaire Hachette*, qui intègre aujourd'hui toutes les rectifications (voir p. 19), est l'héritier du *Littré*.

La sixième édition (1835) du *Dictionnaire* de l'Académie sanctionne l'emploi des formes comme *j'avais* (plutôt que *j'avois*), que Voltaire employait déjà. Elle supprime aussi certaines incohérences (*un enfant* a pour pluriel *des enfants* et non plus *des enfans*).

L'édition suivante (1878) fait disparaitre de nombreuses lettres grecques.

Et au XXe siècle ?

Au début du XXe siècle, la huitième édition (1932-35) du *Dictionnaire* de l'Académie propose un certain nombre de modifications, plutôt isolées :

l'apostrophe cède la place au trait d'union dans *grand-mère*. Les corrections sont peu nombreuses.

Au cours du siècle, plusieurs propositions de réformes seront faites (rapports Beslais, Hanse...), mais aucune n'est adoptée... jusqu'aux rectifications actuelles. Celles-ci ont été conçues à la demande du Premier ministre français, Michel Rocard, qui, en 1989, a installé deux organismes : le Conseil supérieur de la langue française (Paris) et la Délégation générale à la langue française (devenue Délégation générale à la langue française et aux langues de France). Dès leur mise en place, il demande un projet de « *rectifications utiles* » – il exclut immédiatement une « *véritable réforme, qui modifierait les principes mêmes de la graphie de notre langue et altèrerait donc son visage* ». Des experts sont alors nommés ; parmi eux, Nina Catach (dont la renommée est internationale), spécialiste de l'orthographe et directrice d'une équipe du Centre national de la recherche scientifique, ou encore André Goosse, continuateur du fameux *Bon usage*. L'Académie française ainsi que les instances d'autres pays sont naturellement représentées.

Les rectifications
de l'orthographe

Introduction

On l'a vu, l'orthographe n'a cessé d'évoluer au cours des siècles. Et, précisément, «*c'est dans l'intérêt des générations futures de toute la francophonie qu'il est nécessaire de continuer à apporter à l'orthographe des rectifications cohérentes et mesurées qui rendent son usage plus sûr*», comme le note le rapport des experts mandatés pour élaborer les présentes modifications.

Les «ajustements» – car c'est en fait bien de cela qu'il s'agit – sont très modérés : ils concernent environ deux-mille mots dans un dictionnaire d'usage courant. Beaucoup sont d'un usage assez rare, d'ailleurs. Bref, les rectifications orthographiques ne désorientent pas les lecteurs, mais, à n'en pas douter, elles lèvent bien des doutes récurrents chez celles et ceux qui écrivent régulièrement. Quatre grands principes ont régi le travail des spécialistes qui ont mis au point les rectifications :

▶ proposer des modifications à la fois fermes et souples – fermes, afin que la nouvelle norme soit précise; souples, parce qu'il faudra évidemment plusieurs années jusqu'à ce que la nouvelle orthographe ait supplanté l'ancienne;

▶ se soucier de l'utilité des améliorations et se concentrer sur les points qui, aujourd'hui, posent le plus de problèmes aux personnes qui écrivent (enfants aussi bien qu'adultes);

▶ s'appuyer sur ce que l'on appelle communément «le génie de la langue», les usages qui s'établissent, les tendances à la cohérence déjà repérables, les évolutions déjà amorcées;

▶ limiter les modifications, afin de ne pas entrainer de bouleversements.

Des modifications limitées et pertinentes

En plus de supprimer des anomalies plus ou moins isolées, les rectifications orthographiques touchent essentiellement quatre grands domaines :

▶ le trait d'union et la soudure ;

▶ le singulier et le pluriel ;

▶ les accents et le tréma ;

▶ quelques consonnes doubles.

➔ Pour découvrir toutes les règles en détail, reportez-vous au chapitre des exercices (p. 35); vous trouverez par ailleurs un résumé des rectifications orthographiques à la page 113. De surcroit, vous pourrez consulter avec profit le site www.orthographe-recommandee.info ainsi que le *Vadémécum de l'orthographe recommandée* (voir la bibliographie, p. 120).

Et en pratique ?

Les rectifications orthographiques sont l'initiative du Conseil supérieur de la langue française (Paris), auquel se sont jointes l'Académie française et d'autres instances francophones compétentes (à savoir les Conseils belge et québécois chargés de la langue française; d'autres régions francophones minoritaires n'ayant pas d'organismes de ce type – comme la Suisse – soutiennent l'initiative).

Désormais, la nouvelle orthographe est officiellement recommandée; néanmoins, elle n'a pas de caractère obligatoire. L'ancienne orthographe reste admise, pour une période encore indéterminée. Rappelons que l'orthographe ne fait l'objet d'aucune loi, et que ce que l'on nomme communément «faute d'orthographe» est en fait un écart par rapport à une norme établie par l'usage, les dictionnaires…

Concrètement, tout le monde est encouragé à utiliser dès maintenant les nouvelles graphies et, par conséquent, à écrire par exemple *évènement* (comme déjà *avènement*) plutôt que *événement*. Naturellement, dans certains cas – comme dans une entreprise ou encore dans une rédaction –, une concertation entre rédacteurs est souhaitable. Le présent chapitre est là pour vous livrer des conseils pratiques et vous prodiguer des informations qui vous seront utiles.

Des organismes qui veillent sur notre langue

Les ajustements proposés visent donc à systématiser l'orthographe. Pourtant, on peut s'en douter aisément, rectifier l'orthographe a de nombreuses conséquences. Bien informer toutes les personnes concernées – c'est-à-dire… les centaines de millions de francophones du monde entier – est primordial. Heureusement, plusieurs organismes s'occupent de la langue française.

▶ L'Académie française se consacre à notre langue (voir aussi p. 9). C'est l'une des plus anciennes institutions de la France. On notera avec intérêt qu'elle dispose d'un site : www.academie-francaise.fr. On peut notamment y consulter, en ligne, son *Dictionnaire*.

▶ La Délégation générale à la langue française et aux langues de France est un organe interministériel de veille et de coordination qui, entre autres, harmonise les actions en faveur du français – aussi bien en France qu'à l'étranger.

▸ Le Conseil supérieur de la langue française de Paris est un organe de réflexion, de conseil et d'évaluation. Il rassemble des personnalités très diverses qualifiées dans les domaines linguistiques.

▸ En Belgique, le Service de la langue française de la Communauté française coordonne les activités des organismes publics ou privés qui concourent à la promotion de la langue française. Le pays est également doté de son propre Conseil supérieur de la langue française.

▸ Le Québec dispose de l'Office québécois de la langue française et aussi d'un Conseil supérieur de la langue française.

Les organismes cités ici sont tous concernés de près par les rectifications orthographiques. Par ailleurs, le groupe de modernisation de la langue et le Réseau pour la nouvelle orthographe du français jouent un rôle non négligeable dans la diffusion de la nouvelle orthographe.

▸ Le groupe de modernisation de la langue (Paris) est un groupe de réflexion dont les représentants, qui se réunissent à la Délégation générale à la langue française et aux langues de France, sont issus de plusieurs pays francophones. C'est grâce à lui, par exemple, qu'un portail d'information interactif a été mis sur pied : www.orthographe-recommandee.info.

▸ Le Réseau pour la nouvelle orthographe du français (RENOUVO) regroupe quatre associations privées qui effectuent des recherches sur l'orthographe. Il a publié le *Vadémécum de l'orthographe recommandée*, brochure contenant la liste exhaustive des mots touchés par les changements (voir p. 120).

Les rectifications en chiffres

Un dictionnaire d'usage courant – qui compte généralement quelque cinquante-mille mots – comprend environ deux-mille mots touchés par les rectifications orthographiques. Avant la mise en place de celles-ci, plusieurs milliers de mots admettaient déjà plusieurs graphies : *clé* ou *clef*, *pivert* ou *pic-vert*, *paie* ou *paye*, etc.

Dans un texte « normal », le nombre de graphies rectifiées ou à rectifier est bas : une par page en moyenne – et, le plus souvent, il ne s'agit « que » d'un accent… Admettez qu'en lisant ce livre jusqu'ici, vous n'avez pas dû être particulièrement déconcerté… sauf peut-être par son titre. Ce livre est pourtant écrit en nouvelle orthographe.

L'IMPLANTATION DE LA NOUVELLE ORTHOGRAPHE

Quotidiennement, nous nous référons à des dictionnaires, utilisons un correcteur informatique... Ces ouvrages, qu'ils existent sur papier ou en version électronique, se mettent bien évidemment au gout du jour.

 Les informations contenues dans cette section se veulent générales. Bien évidemment, les données sont appelées à évoluer rapidement.

L'implantation dans les ouvrages sur papier

Plusieurs ouvrages courants à fort tirage ont intégré d'un coup l'ensemble de la nouvelle orthographe. Il serait évidemment hasardeux d'en dresser la liste, puisque tous les ouvrages de référence sont appelés à être mis à jour. Citons néanmoins quelques-uns des grands classiques.

- ▶ Le *Dictionnaire Hachette* (dernière édition), d'usage courant – qui regroupe dans le même ordre alphabétique mots de la langue et noms propres – signale chaque fois la nouvelle graphie et l'ancienne (tout comme le *Dictionnaire Hachette scolaire*, destiné aux élèves entre 9 et 14 ans); ses annexes pratiques présentent un résumé des nouvelles règles et sont conformes à la nouvelle orthographe.

- ▶ *Le bon usage* (dernière édition; paru chez Duculot), célèbre grammaire de Grevisse-Goosse couronnée par l'Académie française, fait une large place aux rectifications orthographiques, en les mentionnant et en les expliquant. Même remarque pour la *Nouvelle grammaire française*, des mêmes auteurs.

- ▶ Le *Dictionnaire des verbes français* (livre de poche; paru chez Pocket) présente dans ses tableaux la seule conjugaison rectifiée.

- ▶ Les *Bescherelle* (éditions les plus récentes) signalent la plupart des nouvelles conjugaisons dans les notes et présentent les nouvelles règles de l'orthographe lexicale.

D'autres ouvrages plus spécialisés ont également intégré la nouvelle orthographe dans sa totalité. En voici quelques exemples parmi ceux qui sont par ailleurs particulièrement recommandables pour leur maniabilité, leur clarté ou leur utilité pratique :

19

▶ *Le français correct. Guide pratique*, de Grevisse (édition mise à jour par Michèle Lenoble-Pinson; paru chez Duculot dans la collection «Entre guillemets»), qui lève les nombreux doutes que l'on a au quotidien;

▶ *La force de l'orthographe. 300 dictées progressives commentées*, de Maurice Grevisse (édition mise à jour par André Goosse; paru chez Duculot dans la collection «Entre guillemets»), qui propose des textes progressifs, annotés;

▶ le *Nouveau dictionnaire des difficultés du français moderne*, de Joseph Hanse (édition refondue par Daniel Blamplain; paru chez Duculot), qui existe également en version électronique;

▶ *Le français de A à Z*, de Bénédicte Gaillard (paru chez Hatier), destiné notamment aux étudiants étrangers ayant déjà de bonnes connaissances en français;

▶ le *Dictionnaire du français usuel*, de Jacqueline Picoche (paru chez Duculot), ouvrage pédagogique rédigé en nouvelle orthographe;

▶ le *Robert & Nathan Orthographe*, utilisé dans l'enseignement;

▶ *Difficultés et pièges du français. Grand dictionnaire*, paru chez Larousse, qui présente la nouvelle orthographe dans ses annexes et y renvoie lorsque nécessaire;

▶ *Le Ramat de la typographie* (dernière édition), d'Aurel Ramat, ouvrage québécois destiné aussi bien aux professionnels qu'au grand public.

L'implantation dans les ouvrages électroniques

Les correcteurs informatiques sont les ouvrages électroniques les plus directement concernés par les rectifications orthographiques.

Parmi les vérificateurs «avancés» (c'est-à-dire ceux qui sont capables de corriger non seulement l'orthographe des mots, mais aussi les accords, la typographie, etc.), les trois plus connus prennent en compte les modifications orthographiques:

▶ Antidote Prisme, édité par Druide informatique, permet plusieurs types de correction: une correction qui applique systématiquement la nouvelle orthographe, une correction qui retient uniquement l'ancienne orthographe, ou encore une correction qui accepte les deux orthographes. Les dictionnaires électroniques qui accompagnent le correcteur ont également été mis à jour. De plus, les «prismes» de ce logiciel permettent de repérer d'un coup toutes les graphies nouvelles ou toutes les graphies anciennes d'un texte.

▶ Cordial peut être paramétré de manière à accepter ou non les rectifications orthographiques.

▶ ProLexis (tout comme son petit frère, Le Petit ProLexis) est capable de corriger un texte en se référant soit à la nouvelle, soit à l'ancienne orthographe.

Les correcteurs informatiques courants, plus répandus parce qu'ils font partie intégrante des logiciels de traitement de texte, ne sont pas en reste : Microsoft et OpenOffice.org, notamment, proposent ou proposeront très bientôt des correctifs pour leurs produits (voir à ce propos le site www.orthographe-recommandee.info). Si vous ne disposez pas d'une version à jour, consultez les solutions simples qui s'offrent à vous (p. 25).

Un label de qualité spécifique a été créé pour les correcteurs informatiques. Ce sceau, gage d'une intégration parfaite de la nouvelle orthographe, est décerné par le site www.orthographe-recommandee.info.

D'autres informations sont disponibles dans la rubrique « Label de qualité » de ce site.

Le label de qualité pour correcteurs informatiques

Utiliser la nouvelle orthographe

Passer à l'orthographe rectifiée est probablement plus simple que vous ne le croyez. La raison d'être des rectifications étant d'uniformiser, de régulariser, de simplifier ou d'éliminer des incohérences, vous devriez y parvenir sans trop d'efforts. Voici toutefois quelques astuces ainsi que des conseils pour vous aider. Ils sont destinés aux professionnels que sont les enseignants, les rédacteurs, les journalistes... ainsi qu'à tous les usagers de la langue : toutes les personnes qui écrivent sont interpelées ici.

Dans la vie de tous les jours

Conseils

METTEZ-VOUS À JOUR !

La première des choses à faire, c'est de se mettre à jour... Mais est-il bien nécessaire de vous le suggérer, à vous qui lisez ce livre ? Familiarisez-vous avec la nouvelle orthographe. Le mieux est sans doute de commencer par lire le résumé des modifications (p. 113). Passez ensuite au chapitre des exercices (p. 35) : ces derniers vous permettront surtout de vous habituer, visuellement, aux nouvelles graphies (car c'est bien le but premier de ces exercices). Consultez aussi d'autres sources d'information, comme le site www.orthographe-recommandee.info ou la liste des mots rectifiés contenue dans le *Vadémécum de l'orthographe recommandée* (voir p. 120).

PROFITEZ DE L'OCCASION POUR RENOUVELER VOTRE BIBLIOTHÈQUE

Dans la mesure du possible, procurez-vous des éditions récentes et mises à jour des ouvrages de référence et des correcteurs informatiques que vous employez.

Si vous avez encore des doutes, ayez à portée de main la liste du *Vadémécum de l'orthographe recommandée* (voir p. 120) de manière à pouvoir vous y reporter en rédigeant.

SERVEZ-VOUS DE L'INFORMATIQUE

Si vous n'aviez pas coutume, jusque-là, de vous servir de l'informatique pour corriger vos textes, sachez que certains logiciels sont capables de repérer, dans un texte, toutes les graphies nouvelles ou toutes les graphies anciennes.

Par exemple, le logiciel Antidote Prisme, en plus de pouvoir corriger votre texte en appliquant la nouvelle orthographe, vous offre la possibilité de visualiser dans votre document tous les mots écrits en ancienne orthographe, ou tous les mots écrits dans leur nouvelle forme.

Révision	Description	
⊞ ▊ Catégories	10	
⊞ ▊ Groupes	3	
⊞ ▊ Fonctions	2	
⊞ ▊ Conjugaison	1	
⊟ ▊ Rectifications	2	
▊ Rectifiés	2	
▊ Traditionnels		

Le quincailler prépare de la soupe à l'ognon.

Ici, la fonction « Prisme » d'Antidote met en évidence les graphies nouvelles et donne les statistiques des graphies rectifiées et traditionnelles contenues dans le texte. [© Druide informatique inc.]

Alors que le correcteur ProLexis permet une correction soit en ancienne, soit en nouvelle orthographe, les dictionnaires Myriade (qui vont de pair avec ProLexis) peuvent également être paramétrés pour être conformes aux rectifications.

▬▬▬▬ Options d'analyse orthographique ▬▬▬▬ ❚❚

Orthographe : ○ ❚❚ Usuelle   ◉ ❚❚ Réformée

Fenêtre des options d'analyse orthographique de ProLexis. [© Diagonal]

▬▬ Variations morphologiques ▬▬

sing. : le boutentrain
       : un boutentrain

plur. : des boutentrains

Présentation des formes de boutentrain *(graphie rectifiée de* boute-en-train*) par Myriade. [© Diagonal]*

Les questions que vous vous posez

« SI J'AI BIEN COMPRIS, LA NOUVELLE ORTHOGRAPHE EST RECOMMANDÉE, MAIS L'ANCIENNE RESTE ADMISE... PUIS-JE N'ADOPTER QU'UNE PARTIE DES RECTIFICATIONS ? »

Naturellement, il n'est pas impossible d'adopter partiellement les rectifications, par exemple en écrivant *évènement* (nouvelle orthographe remplaçant *événement*), *douçâtre* (plutôt que *douceâtre*), tout en conservant l'accent circonflexe sur *paraître* (graphie ancienne, qui a été rectifiée en *paraitre*). C'est ce que faisaient d'ailleurs beaucoup de gens, inconsciemment... avant même que les rectifications ne soient proposées. Toujours est-il qu'il apparait préférable d'adopter l'entièreté des rectifications, notamment parce qu'ainsi, on s'habitue plus vite et plus aisément aux nouvelles graphies. L'usage partiel n'est cependant pas fautif.

« JE POSSÈDE UNE ANCIENNE VERSION D'UN PROGRAMME DE TRAITEMENT DE TEXTE (TEXTEUR) SUR MON ORDINATEUR. COMMENT FAIRE POUR ÉVITER QUE CERTAINES GRAPHIES RECTIFIÉES NE SOIENT AUTOMATIQUEMENT CHANGÉES ? »

Les versions les plus récentes de la plupart des programmes de traitement de texte ont été ou seront prochainement mises à jour de manière à être conformes à la nouvelle orthographe. Certains éditeurs ont même déjà proposé des mises à jour, généralement gratuites. Pour savoir lesquels, renseignez-vous, par exemple, sur www.orthographe-recommandee.info. Si aucune mise à jour n'est disponible pour la version que vous employez, vous n'avez que deux solutions pour que le correcteur orthographique ne vous signale plus les graphies rectifiées comme des fautes : ajouter petit à petit les graphies rectifiées à votre dictionnaire personnel (ce qui est utile pour les formes les plus courantes, mais peut se révéler rapidement fastidieux) ou désactiver le correcteur orthographique.

Par ailleurs, la plupart des programmes de traitement de texte disposent d'une option (généralement activée par défaut) de « correction automatique » ou d'« autocorrection » : certains mots très souvent mal orthographiés sont automatiquement corrigés. Par exemple, si vous tapez la forme fautive *recomandé* (avec un seul *m*), votre texteur va probablement en corriger l'orthographe pour *recommandé* sans vous en avertir, et ce, sitôt que vous aurez tapé sur la barre d'espacement. Cette option est souvent très utile, mais elle devient gênante dans la mesure où certaines graphies rectifiées (comme *reconnaitre*) sont « corrigées » malencontreusement par les versions anciennes de la plupart des programmes de traitement de texte. Il existe, heureusement, une solution simple pour éviter un tel désagrément sans avoir à vous procurer une mise à jour. Procédez comme indiqué plus bas. La procédure présentée ici est valable dans la version française de Word ; les autres texteurs fonctionnent de manière assez semblable en principe. Elle ne prend que quelques minutes, et votre texteur ne convertira plus à votre insu des graphies nouvelles en graphies anciennes. Il suffit de la faire une fois.

Procédure pour neutraliser les corrections automatiques indésirables

1. Dans votre texteur, allez dans le menu *Outils*, puis cliquez sur *Options de correction automatique...*

2. Dans l'onglet *Correction automatique*, supprimez les entrées touchées par les rectifications orthographiques, comme *reconnaitre → reconnaître*.

Remplacer :	Par :	◉ Texte brut	○ Texte mis en forme
reconnaitre	reconnaître		

recomandé	recommandé	
recomandée	recommandée	
reconnait	reconnaît	
reconnaitre	reconnaître	

[Remplacer] [**Supprimer**]

[© Microsoft Corporation]

3. Vous pouvez aussi créer les paires inverses : *reconnaître → reconnaitre*, afin que votre texteur vous corrige de vos vieilles habitudes si vous tapez inconsciemment une graphie ancienne. De même, si vous peinez à écrire un mot particulier en nouvelle orthographe, vous n'avez qu'à créer une correction automatique spécifique (par exemple, *oignon → ognon*).

4. Dans les entrées fautives du type *acroître → accroître*, remplacez la graphie ancienne (à droite) par la graphie nouvelle (ici, *accroitre*).

Si les corrections automatiques indésirables ne sont pas supprimées, vous pourriez vous retrouver dans des situations surprenantes, voire incohérentes. Imaginons que vous souhaitiez recommander cet ouvrage : *Connaitre et maitriser la nouvelle orthographe.* Dans certaines versions de texteurs, on trouve dans la liste de correction automatique la substitution traditionnelle *connaitre → connaître*, mais on ne trouve pas de substitution *maitriser → maîtriser*. Les anciennes listes de correction automatique étant ainsi faites, le titre de ce livre deviendra malheureusement... *Connaître et maitriser la nouvelle orthographe !* D'où l'importance de modifier vos listes de correction automatique au plus vite si vous ne disposez pas d'une version à jour de votre texteur.

Parcourir l'ensemble des mots de la liste en ordre alphabétique et en détruire les paires indésirables prend quelques minutes seulement. Surveillez particulièrement les graphies anciennes comme *ambiguë, apparaître, apparaît, asseoir, chariot, connaît, connaître, disparaît, disparaître, événement, imbécillité, paraître, reconnaît, reconnaître, réglementation*. Ce sont celles qui sont retenues dans la plupart des listes de correction automatique.

« J'AIMERAIS INDIQUER EXPLICITEMENT À CEUX QUI ME LISENT QUE J'EMPLOIE LA NOUVELLE ORTHOGRAPHE. COMMENT FAIRE ? »

Puisque la nouvelle orthographe est recommandée et qu'elle est appelée à supplanter l'ancienne, vous n'avez pas à vous justifier auprès de vos lecteurs. Néanmoins, si vous tenez à indiquer explicitement à ceux qui vous lisent que vous appliquez les rectifications orthographiques, voici des solutions.

Il existe un logo de conformité; celui-ci est libre de droits. Plusieurs versions sont proposées sur www.orthographe-recommandee.info/pros :

> ❱ Ce texte est conforme à la nouvelle orthographe ;

> ❱ Ce document est conforme à la nouvelle orthographe ;

> ❱ Ce journal est conforme à la nouvelle orthographe ;

> ❱ etc.

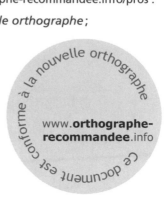

Une des versions du logo de conformité

Téléchargez sur votre ordinateur l'image désirée, et apposez-la dans vos documents chaque fois que vous le jugez utile.

Vous pouvez aussi ajouter, par exemple dans vos messages de courrier électronique, une mention à la fin de votre texte signalant que vous appliquez les rectifications orthographiques dans vos écrits. Vous pouvez insérer cette indication de façon automatique dans tous vos messages électroniques, grâce à la fonction d'insertion automatique de signature qu'offrent la plupart des logiciels de messagerie (souvent, il faut sélectionner Outils → Options… → Signatures).

Bonjour,

Pourriez-vous m'indiquer quand paraitra le premier numéro de votre revue ? Merci d'avance.

Cordialement,

G. Laliberté

Ce texte est conforme à la nouvelle orthographe.
Pour tout savoir : www.orthographe-recommandee.info.

Exemple de message électronique avec note.

Vous pouvez même faire suivre le ou les mots touchés par la nouvelle orthographe (*paraitra*, dans l'exemple ci-dessus) d'un astérisque, et reporter celui-ci au début de la note figurant en fin de message.

Madame,

J'aimerais connaitre* le prix de la livraison de votre livre à domicile. Votre ouvrage intéresse grandement un de mes amis, et je pensais le lui offrir par commande postale, si les couts* de transport ne sont pas trop élevés. J'attends votre réponse avec impatience.

Veuillez recevoir mes sincères salutations.

Claude Gay
10, rue des Rectifications
Village de La Phrase

---

* J'applique les rectifications orthographiques… Et vous?
www.orthographe-recommandee.info, pour tout savoir.

Exemple de lettre avec un astérisque qui suit les nouvelles graphies.

Dans l'enseignement

Commençons par rappeler le principe de base : «Aucune des deux graphies [ni l'ancienne ni la nouvelle] ne peut être tenue pour fautive.» Il s'agit là de la déclaration figurant dans les fascicules du *Dictionnaire* de l'Académie française (neuvième édition, *Journal officiel de la République française*). Dans une dictée, certains élèves écriront *traitre*, quelques autres, *traître :* il est impératif que vous acceptiez l'un comme l'autre. Même si les nouvelles graphies sont recommandées, les anciennes ne sauraient constituer des incorrections. Dans les principaux pays francophones, l'information a généralement été bien relayée par les différentes instances compétentes :

▶ En Belgique, une circulaire officielle destinée notamment aux gouverneurs de province, aux représentants des pouvoirs organisateurs de l'enseignement subventionné libre, aux chefs des établissements de l'enseignement fondamental, secondaire et spécial organisé ou subventionné par la Communauté française, et aux membres des services d'inspection propose que «*se crée une véritable cohérence entre les différents niveaux d'enseignement, de l'école maternelle à l'enseignement supérieur*». Il s'agit de «*veiller à ce que les recommandations orthographiques soient envisagées en fonction de l'intérêt des élèves et des étudiants*». «*Chacun a le droit d'utiliser les différentes graphies*», rappelle encore le document. Une brochure d'information contenant toutes les règles et une liste de mots touchés par les rectifications a été diffusée auprès des enseignants à près de soixante-dix-mille exemplaires.

▶ Dans les cantons suisses, la Conférence intercantonale de l'instruction publique, sur proposition de sa délégation à la langue française, a adressé à tous les enseignants un fascicule présentant la nouvelle orthographe, accompagné d'une circulaire rappelant elle aussi qu'«*aucun élève ne doit être sanctionné pour avoir utilisé l'une ou l'autre variante*».

▶ Au Québec, le ministère chargé de l'Éducation (MEQ) reconnait les graphies rectifiées dans l'épreuve uniforme de français du collégial ainsi que dans la correction de l'épreuve unique d'écriture de cinquième secondaire. L'Office québécois de la langue française, pour sa part, a repris les propos de l'Académie française en rappelant que «*ni les graphies traditionnelles ni les nouvelles graphies proposées ne doivent être considérées comme fautives*». Les rectifications de l'orthographe figurent dans sa *Banque de dépannage linguistique* en ligne, sous forme de fiches thématiques (www.oqlf.gouv.qc.ca).

Invitez vos élèves et vos collègues à s'initier aux rectifications orthographiques en visitant le Musée de la nouvelle orthographe : une visite guidée en ligne, interactive et amusante, conçue pour les réseaux scolaires. Vous trouverez le lien pour y accéder à la rubrique «Pour en savoir plus» du site www.orthographe-recommandee.info.

Les questions que vous vous posez

« *JE DOIS DONC DANS TOUS LES CAS ACCEPTER LES DEUX GRAPHIES DANS LES COPIES DE MES ÉLÈVES. MAIS QUELLE(S) ORTHOGRAPHE(S) DOIS-JE ENSEIGNER ?* »

Des variantes ont toujours existé. Enseignez-vous *clef* ou *clé* ? Les deux graphies sont admises depuis des décennies. Vous utilisez probablement la graphie moderne *clé* en classe, mais vous acceptez les deux formes lors de la correction. Il en est de même pour la nouvelle orthographe.

Dans la pratique de votre enseignement, il semble pour le moins logique de donner la priorité à la nouvelle orthographe, puisque celle-ci, en plus d'être officiellement recommandée, est appelée à supplanter l'ancienne. De surcroit, la nouvelle orthographe simplifiera dans de nombreux domaines votre tâche, puisqu'elle supprime des exceptions difficilement justifiables et va dans le sens de l'usage. Évidemment, lorsque vous enseignez la conjugaison des verbes en -*eler* ou -*eter*, la nouvelle règle contentera tout le monde (vos élèves et vous-même…), mais cela ne vous empêche pas de signaler que d'autres modèles de conjugaison se rencontrent encore, ne serait-ce que parce que vos élèves seront sans doute amenés à lire des documents encore rédigés en ancienne orthographe. Quand vous enseignerez la règle du trait d'union dans les nombres, vous aurez besoin de beaucoup moins de temps (l'emploi du trait d'union est systématique) : vous aurez le loisir de vous consacrer à d'autres activités pédagogiques. Et, pourquoi pas, vous pourriez profiter de l'occasion pour engager – en fonction du niveau de vos classes – une discussion constructive sur l'évolution de la langue et de son orthographe…

 « Nous employons des manuels et lisons des textes dont l'orthographe n'est pas à jour. Que faire ? »

Globalement, cela ne doit pas poser un grand problème, puisque les rectifications orthographiques touchent relativement peu de mots. Et si, dans un texte que vous lisez avec vos élèves, vous trouvez *vingt et un mille* alors que vous avez appris peu de temps auparavant que les numéraux sont systématiquement reliés par des traits d'union, signalez simplement qu'en nouvelle orthographe, on écrit *vingt-et-un-mille*… Bref, faites comme si vous rencontriez dans ce même texte la graphie *clef* alors que vous avez enseigné la graphie plus moderne *clé*.

Évidemment, la question des ouvrages de référence est plus épineuse. Peut-on enseigner que *bruler* s'orthographie ainsi, alors que l'édition du dictionnaire dont disposent les élèves donne seulement *brûler ?* Oui, et, même en présence d'ouvrages de référence non encore mis à jour, il parait préférable d'enseigner la nouvelle orthographe : rappelez-vous que vos élèves sont les usagers de demain. Toutefois, prenez quelques précautions. Par exemple, faites annoter les livres de conjugaison par vos élèves… et profitez du bel argument qui vous est offert pour demander à votre école d'investir dans du matériel neuf ! Renouvelez aussi vos ouvrages à la maison : ce sont vos outils de travail. Le *Vadémécum de l'orthographe recommandée* (voir p. 120) constitue une mise à jour à prix modique. Tous les enseignants et les secrétaires devraient l'avoir à portée de main.

 « J'enseigne le français en tant que langue étrangère et, dans mon pays, le ministère chargé de l'Éducation ne nous a donné aucune indication. Comment réagir ? »

Il n'est pas nécessaire que le ministère chargé de l'Éducation dans votre pays ait donné des consignes spécifiques pour que vous enseigniez la nouvelle orthographe à vos élèves : celle-ci est officielle, recommandée, et le rôle du ministère est de définir les programmes – et non l'orthographe française elle-même (tout comme les ministères chargés de l'Éducation n'ont pas, dans les programmes de mathématiques, à définir combien font 2 + 2, mais à dire à quel moment il faut l'enseigner…).

L'orthographe étant considérée comme difficile, aussi (et peut-être surtout) à l'étranger, les rectifications ne pourront que vous rendre service.

Néanmoins, afin que vos élèves ne soient pas pénalisés ultérieurement pour avoir employé la nouvelle orthographe (par certains de vos collègues qui n'auraient pas encore été mis au courant), n'hésitez pas à proposer une réunion des professeurs enseignant le français en tant que langue étrangère dans votre établissement, voire à contacter les instances compétentes de votre pays.

Dans l'édition

Le domaine de la presse et de l'édition est particulièrement concerné par les rectifications orthographiques. Que vous soyez auteur, rédacteur, correcteur, réviseur, éditeur, journaliste, éditorialiste, traducteur, secrétaire de rédaction…, vous devez être bien informé de l'évolution que connait actuellement l'orthographe.

Parce que l'uniformité est rassurante et constitue une preuve de professionnalisme, il semble indispensable de mener une concertation au sein de l'entreprise afin que toutes les publications d'un éditeur soient soumises au même régime. Puisque, concrètement, vous et votre équipe êtes encouragés à employer dès maintenant l'orthographe rectifiée dans vos productions, voici un mémento qui vous sera utile en vue de la mise en application des rectifications orthographiques.

▸ Première phase : réunissez toutes les personnes concernées au premier plan par les questions orthographiques (correcteurs-réviseurs, responsables éditoriaux ou rédacteurs en chef, secrétaires de rédaction…). Réfléchissez aux conséquences des rectifications orthographiques. Dans quelques cas, le titre de la publication ou d'une collection peut être affecté. S'il en est ainsi, vous pourriez en profiter pour envisager un changement de logo, de mise en pages… Cela nécessite évidemment l'établissement d'un budget en conséquence, ce qui peut retarder la mise en application de la nouvelle orthographe dans ces rares cas.

▸ Deuxième phase : étudiez les moyens qui sont à votre disposition. Vos rédacteurs, vos auteurs emploient-ils un correcteur informatique ? Si oui, disposent-ils d'une version à jour ?

▸ Troisième phase : mettez-vous d'accord sur un calendrier réaliste. En effet, dans le cas d'un journal ou d'un magazine, il parait particulièrement souhaitable d'arrêter la date du changement. Avant cette date, le journal ou le magazine est rédigé en ancienne orthographe ; après cette date, il l'est en nouvelle orthographe.

▸ Quatrième phase : informez tous les rédacteurs. Il convient en effet que l'information parvienne à tous les rédacteurs, qui doivent savoir quand aura lieu le passage à la nouvelle orthographe et en quoi il consiste… Pour cela, vous pouvez leur transmettre un document de synthèse, ou encore les inviter à s'en remettre aux pages destinées aux professionnels sur le site d'information www.orthographe-recommandee.info, par exemple. S'ils ne disposent pas d'une version à jour de leur texteur, exposez-leur la procédure visant à neutraliser les corrections automatiques indésirables (voir p. 25), essentielle en rédaction.

Des ouvrages à jour, par exemple *Le français correct*, le *Dictionnaire Hachette* ou *Le Ramat de la typographie* (voir aussi la bibliographie complète p. 119), peuvent s'avérer très utiles comme outils de travail.

Les questions que vous vous posez

⟨?⟩ **« *Nous souhaitons explicitement indiquer à nos lecteurs que nous appliquons les rectifications orthographiques. Comment faire ?* »**

Le plus simple est d'utiliser le logo de conformité téléchargeable gratuitement, présenté à la page 26. Choisissez la mention qui vous convient : *Ce livre est conforme à la nouvelle orthographe*, *Cette revue est conforme à la nouvelle orthographe*, *Ce magazine est conforme à la nouvelle orthographe*, *Ce journal est conforme à la nouvelle orthographe*, etc.

Évidemment, puisque la nouvelle orthographe est recommandée et qu'elle est appelée à supplanter l'ancienne, vous n'avez pas à vous justifier auprès de vos lecteurs. Néanmoins, si, par exemple, vous publiez des manuels scolaires et que vous souhaitez distinguer les éditions à jour des anciennes, envisagez donc d'apposer ce logo sur la couverture ou dans l'ours (section où figurent les principales coordonnées de la publication).

⟨?⟩ **« *Lorsque l'on cite un texte rédigé originellement en ancienne orthographe, faut-il ou non l'adapter en nouvelle orthographe ?* »**

Lorsque, dans un texte rédigé en nouvelle orthographe, on cite un texte écrit originellement selon l'ancienne orthographe, il apparait tout à fait logique de « traduire » la citation en nouvelle orthographe, et ce, pour des raisons d'homogénéité du document final. D'ailleurs, ce genre de pratique n'a rien d'exceptionnel : de nos jours, lorsque des éditeurs reprennent un texte écrit il y a plusieurs siècles, ils le présentent habituellement dans l'orthographe actuelle.

Néanmoins, dans certains cas précis, il est préférable de conserver la citation telle quelle : si l'on veut mettre en avant une graphie ancienne (dans un document traitant d'orthographe ou de linguistique, par exemple), ou encore si le texte que l'on cite est récent et que l'on souhaite souligner le fait que son auteur n'applique pas les rectifications…

On peut aussi, à la rigueur, envisager deux autres solutions, bien qu'elles puissent paraitre un peu lourdes, si l'on tient à signaler la modification que l'on apporte à la citation : utiliser des crochets (exemple : « "La poésie, dans une œuvre, c'est ce qui fait appara[i]tre l'invisible", écrivait Nathalie Sarraute. ») ou encore ajouter une mention du type : « L'orthographe de cette citation a été mise à jour. »

Dans l'entreprise ou dans la fonction publique

Quotidiennement, les entreprises et l'Administration produisent des documents, qui vont de la note de service lue par quelques personnes à la plaquette tirée à plusieurs millions d'exemplaires. Il semble souhaitable de mener une concertation afin que tous les documents publiés par une entreprise ou un service de l'Administration soient soumis au même régime. Puisque, concrètement, vous et vos collègues êtes encouragés à employer dès maintenant l'orthographe rectifiée dans vos productions, voici un mémento qui vous sera utile en vue de la mise en application des rectifications orthographiques.

▸ Première phase : réunissez toutes les personnes concernées au premier plan par la rédaction de documents (terminologues, responsables de la communication interne, attachés de presse, responsables de la direction de la communication en direction du grand public, secrétaires...). Réfléchissez aux conséquences des rectifications orthographiques. Notez que les titres de certains services, de certains départements peuvent être affectés par les rectifications orthographiques (exemple : *Service de gestion et de maitrise du budget*).

▸ Deuxième phase : étudiez les moyens qui sont à votre disposition. Les personnes rédigeant quotidiennement des documents emploient-elles un correcteur informatique ? Si oui, disposent-elles d'une version à jour ?

▸ Troisième phase : dans la mesure du possible, mettez-vous d'accord sur un calendrier réaliste. Il n'est toutefois pas indispensable que tous les services passent du jour au lendemain et au même moment à l'emploi de la nouvelle orthographe... Le plus important est que toutes et tous soient bien informés, à la fois de l'existence des rectifications, de leur contenu et de la volonté de la direction de suivre les rectifications orthographiques. Cela nous amène à la quatrième phase.

▸ Quatrième phase : informez toutes les personnes qui rédigent des documents (ce qui inclut évidemment les secrétaires). Pour cela, vous pouvez leur transmettre une fiche de synthèse, ou encore les inviter à s'en remettre au site d'information www.orthographe-recommandee.info, par exemple (sachez qu'une rubrique dédiée entièrement aux professionnels existe [www.orthographe-recommandee.info/pros] et que des guides y sont téléchargeables). Parlez-en lors de vos réunions. Faites circuler des exercices pratiques. Nommez une personne responsable, amoureuse de la langue, qui se documentera davantage et maitrisera le dossier, et qui saura répondre aux interrogations occasionnelles des membres de votre équipe. Profitez des réimpressions de papier à entête, de plaquettes de présentation, etc. pour procéder aux ajustements requis, le cas échéant. Assurez-vous que les informations présentées en ligne sur votre site sont en nouvelle orthographe ; les documents d'archives, eux, n'ont pas besoin d'être retouchés. Enfin, si vous le jugez nécessaire, prévoyez d'informer vos clients, vos collaborateurs externes et toutes les personnes appelées à lire les documents produits par votre entreprise ou votre service du fait que vous passez à la nouvelle orthographe. (Voyez les solutions qui s'offrent à vous aux pages 25-27.)

Les questions que vous vous posez

« NOUS AVONS DÉCIDÉ DE PASSER À LA NOUVELLE ORTHOGRAPHE, MAIS CERTAINS EMPLOYÉS MOINS HABITUÉS LAISSENT, INVOLONTAIREMENT, DES GRAPHIES ANCIENNES DANS LEURS TEXTES. QUE FAIRE ? »

Vous n'avez probablement pas les ressources pour faire réviser chacun des documents produits chez vous, ni le temps de le faire. Des solutions simples s'offrent à vous.

Dans la mesure du possible, faites en sorte que les programmes de traitement de texte dont se servent vos employés soient des versions à jour. L'installation d'un correcteur informatique avancé (voir p. 22) peut également être une bonne solution, puisqu'un tel logiciel offre la possibilité de ne retenir que la nouvelle orthographe lors de la correction.

Si vous n'avez pas les moyens d'équiper tous les postes informatiques de programmes à jour, assurez-vous que tous vos employés ont suivi la courte procédure décrite à la page 25 visant à supprimer les corrections automatiques indésirables et à ajouter les substitutions recommandées. La nouvelle orthographe s'imposera d'elle-même lors de l'écriture, spontanément. C'est une solution simple, très rapide (quelques minutes suffisent), permanente, et sans frais. Elle assurera une cohérence et une uniformité dans les documents rédigés par votre personnel.

« COMMENT NOUS ASSURER QUE NOTRE PERSONNEL EST BIEN INFORMÉ ? »

S'il n'y a pas, dans votre entreprise ou votre service, de responsable de la communication interne, transmettez néanmoins des directives claires à toutes les personnes qui écrivent des textes.

Si vous en avez les moyens, organisez des ateliers de formation ; sinon, invitez votre personnel à visionner de lui-même, point par point, les nouvelles règles (sur www.orthographe-recommandee.info), mettez à sa disposition des documents comme le *Vadémécum de l'orthographe recommandée* (voir p. 120), déléguez une personne au sein de l'entreprise qui saura répondre aux questions des collègues, etc.

Dans l'affichage et la publicité

Vous vous occupez d'une affiche, d'une publicité (de la petite annonce dans un journal local à la campagne publicitaire internationale) ? Vous rédigez un document destiné à être exposé à la vue de tous ? Pensez à les rédiger en nouvelle orthographe.

Que vous soyez graphiste, infographiste, concepteur de sites informatiques, publicitaire, responsable de « markéting direct », que vous travailliez dans les médias audiovisuels ou au sous-titrage, ou simplement que vous ayez besoin d'afficher une publicité, de faire publier une annonce, de rédiger un texte pour l'affichage dans votre commerce, pour l'élaboration d'un menu de restaurant, pour la diffusion de la liste de vos produits et services, etc., la nouvelle orthographe vous concerne.

Pour les grandes affiches, vous pouvez apposer le logo de conformité au bas de celles-ci, confirmant que votre texte est conforme aux rectifications orthographiques (voir p. 26). Pour les documents de format plus réduit, utilisez une mention en bas de page ou en fin de document si vous le jugez nécessaire.

Soyez à l'affut des nouvelles graphies particulières à votre domaine d'activité. Par exemple, en restauration, les menus sont rédigés et réimprimés régulièrement, voire transcrits quotidiennement sur des tableaux d'affichage. Ayez le réflexe de noter *ognon* sans le *i* (comme *rognon*), de mettre l'accent grave à *cèleri*, d'écrire *hotdog* en un seul mot (mot d'emprunt francisé), de mettre un *s* à *des raviolis*, etc. Les mots rectifiés sont en nombre limité. Vos clients s'habitueront très vite : vous contribuerez même à les instruire... Plusieurs curieux en feront peut-être un sujet de conversation avec votre personnel, qui répondra que votre établissement est à la page !

Une question que vous vous posez

« **À PARTIR DE QUAND PEUT-ON UTILISER LES GRAPHIES NOUVELLES EN PUBLICITÉ OU DANS LE SOUS-TITRAGE ?** »

Dès maintenant, puisque les instances francophones compétentes sont favorables à ces rectifications. Beaucoup d'ouvrages de référence ont été mis à jour. Assurez-vous que le dictionnaire que vous consultez est bien à jour (renouvelez-le au besoin), ou que votre logiciel de correction intègre les rectifications orthographiques, ce qui est le cas des versions récentes en informatique. Ajustez les réglages en conséquence.

Exercices

INTRODUCTION

Ce chapitre vous permettra de vous familiariser avec la nouvelle orthographe, mais également d'apprendre au passage quelques faits intéressants...

Pour chacun des cinq grands thèmes – le trait d'union et la soudure, le singulier et le pluriel, les accents et le tréma, la simplification de consonnes doubles, et les anomalies –, vous trouverez :

▶ une introduction présentant de manière brève le type de rectifications;

▶ une présentation détaillée et exhaustive de chaque nouvelle règle, assortie d'exemples;

▶ des exercices variés (généralement, deux niveaux d'exercices sont proposés) suivis des corrigés correspondants;

▶ un tour d'horizon qui fait le tour de la question pour chaque règle;

▶ quelques interrogations auxquelles vous trouverez réponse;

▶ des justifications aux nouvelles règles.

Enfin, des recommandations générales vous sont présentées en deux pages; puis suivent des exercices récapitulatifs qui vous permettront de retrouver toutes sortes de graphies rectifiées, mélangées.

LE TRAIT D'UNION ET LA SOUDURE

Les rectifications orthographiques ont modifié de deux manières l'emploi du trait d'union.

▶ L'emploi du trait d'union a été rendu systématique dans les numéraux. Exemples : *trois-mille-cinquante-neuf* (plutôt que *trois mille cinquante-neuf*), *deux-cent-vingt-et-un* (plutôt que *deux cent vingt et un*).

▶ Certains traits d'union ont disparu, ce qui a permis de former des mots simples en soudant notamment des préfixes. C'est ce que l'on appelle une soudure. Exemples : *contremanifestation* (plutôt que *contre-manifestation*), *intraveineuse* (plutôt que *intra-veineuse*).

Numéraux

| Règle

Désormais, les numéraux* composés sont systématiquement reliés par des traits d'union. Il n'y a plus aucune exception.

264 : *deux-cent-soixante-quatre*
　　　(plutôt que *deux cent soixante-quatre*)
3 851 : *trois-mille-huit-cent-cinquante-et-un*
　　　(plutôt que *trois mille huit cent cinquante et un*)
4 700 000 : *quatre-millions-sept-cent-mille*
　　　(plutôt que *quatre millions sept cent mille*)
7 000 000 000 d'humains : *sept-milliards d'humains*
　　　(plutôt que *sept milliards d'humains*)
231ᵉ : *deux-cent-trente-et-unième*
　　　(plutôt que *deux cent trente et unième*)

---

* Un numéral désigne un nombre ou un rang. Les numéraux peuvent être des déterminants ou des adjectifs (*deux maisons, la deuxième maison*), des pronoms (*j'en veux deux*), des noms (*un dixième, le huit est mon chiffre préféré*). On distingue les numéraux cardinaux (ils indiquent la quantité, le nombre, comme *un, dix, million, milliard*...) des numéraux ordinaux (ils indiquent l'ordre, le rang, comme *premier, dixième, millionième, milliardième*...).

Exercices (niveau 1)

❶ *ÉCRIVEZ LES NOMBRES SUIVANTS EN LETTRES. (POUR FACILITER CET EXERCICE, NOUS AVONS CHOISI DES NOMBRES DANS LESQUELS* VINGT, CENT, MILLE *ET* MILLION *SONT INVARIABLES.)*

61 : _____

192 : _____

402 : _____

2006 : _____

34 121 : _____

71 708 : _____

500 409 : _____

1 600 000 : _____

25e : _____

71e : _____

218e : _____

641e : _____

❷ *ÉCRIVEZ LES NOMBRES SUIVANTS EN LETTRES. (ATTENTION AUX ACCORDS.)*

> Rappel. *Voici quelques principes que vous connaissez surement déjà, et qui ne sont pas liés spécifiquement à la nouvelle orthographe, mais dont vous devez vous souvenir pour écrire correctement.*
>
> *Les adjectifs numéraux sont en principe invariables (par exemple : deux-mille). Toutefois,* vingt et cent *prennent un* s *s'ils sont multipliés et qu'ils terminent le nombre.* Million, milliard, billion, trillion, etc. *prennent la marque du pluriel lorsqu'il y en a plusieurs (par exemple : deux-millions), puisqu'ils sont à l'origine des noms.*

555 : _____

675 700 : _____

1 880 000 : _____

22 000 000 : _____

33 200 936 : _____

45 000 000 : _____

231 000 074 : _____

720 300 180 : _____

82e : _____

999e : _____

1000ᵉ : _____

56 461ᵉ : _____

Réponses (niveau 1)

① *Soixante-et-un; cent-quatre-vingt-douze; quatre-cent-deux; deux-mille-six; trente-quatre-mille-cent-vingt-et-un; soixante-et-onze-mille-sept-cent-huit; cinq-cent-mille-quatre-cent-neuf; un-million-six-cent-mille; vingt-cinquième; soixante-et-onzième; deux-cent-dix-huitième; six-cent-quarante-et-unième.*

Il suffisait de mettre des traits d'union partout… Facile, non?

② *Cinq-cent-cinquante-cinq; six-cent-soixante-quinze-mille-sept-cents; un-million-huit-cent-quatre-vingt-mille; vingt-deux-millions; trente-trois-millions-deux-cent-mille-neuf-cent-trente-six; quarante-cinq-millions; deux-cent-trente-et-un-millions-soixante-quatorze; sept-cent-vingt-millions-trois-cent-mille-cent-quatre-vingts; quatre-vingt-deuxième; neuf-cent-quatre-vingt-dix-neuvième; millième; cinquante-six-mille-quatre-cent-soixante-et-unième.*

Là encore, il suffisait de mettre des traits d'union partout.

Vous avez trouvé difficiles les accords? Cette difficulté ne relève pas de la nouvelle orthographe. Il y a effectivement une vieille règle d'accord encore en vigueur pour *vingt* et *cent*. C'est en s'y frottant que l'on se dit que les rectifications actuelles sont bien modestes!

Remarquez que, lorsque l'on écrit en français un nombre en chiffres pour désigner une quantité, on sépare les groupes de trois chiffres par des espaces (exemple : *15 000*) et non par des points, des apostrophes ou des virgules; la virgule est employée pour les décimales (exemple : *17,25*). Par ailleurs, *deuxième* s'abrège en *2ᵉ* (et non en «*2ᵉᵐᵉ*» ni en «*2ⁱᵉᵐᵉ*») et *première*, en *1ʳᵉ* (et non en «*1ᵉʳᵉ*»); *premier* s'écrit *1ᵉʳ*. Ces conventions sont les mêmes aussi bien en orthographe ancienne qu'en nouvelle orthographe.

Exercices (niveau 2)

❶ ÉCRIVEZ LES NOMBRES SUIVANTS EN LETTRES. (ATTENTION AUX TRAITS D'UNION.)

Rappel. *Voici quelques principes que vous connaissez surement déjà, et qui ne sont pas liés spécifiquement à la nouvelle orthographe, mais dont vous devez vous souvenir pour écrire correctement.*

Dans la fraction 2/5, le 2 est appelé le numérateur, et le 5 (qu'on lit «cinquième») est appelé le dénominateur. En ancienne orthographe, tout comme en nouvelle orthographe, on ne met jamais de trait d'union entre le numérateur et le dénominateur.

Par exemple :
2/3   deux tiers
2/5   deux cinquièmes
56/4   cinquante-six quarts
1/10   un dixième
7/100 sept centièmes

Remarquez que le dénominateur prend un s au pluriel.

18/5 : _____

21/4 : _____

20 1/4 : _____

51/3 : _____

50 1/3 : _____

3/100 : _____

300ᵉ : _____

4 1/10 : _____

4 9/10 : _____

41/10 : _____

49/10 : _____

78/31 : _____

❷ *ÉCRIVEZ LES NOMBRES SUIVANTS EN LETTRES. (ATTENTION AUX TRAITS D'UNION ET AUSSI AUX ACCORDS.)*

180/10 : _____

100/90 : _____

190ᵉ : _____

2/188 : _____

200/88 : _____

204/28 : _____

280/8 : _____

288ᵉ : _____

300/100 : _____

300/200 : _____

302/100 : _____

302/200 : _____

Réponses (niveau 2)

① *Dix-huit cinquièmes; vingt-et-un quarts; vingt et un quart; cinquante-et-un tiers; cinquante et un tiers; trois centièmes; trois-centième; quatre et un dixième; quatre et neuf dixièmes; quarante-et-un dixièmes; quarante-neuf dixièmes; soixante-dix-huit trente-et-unièmes.*

Chaque nombre est une entité que l'on écrit avec des traits d'union. Mais le numérateur de la fraction (le nombre à gauche de la barre oblique), le dénominateur de la fraction (le nombre à droite de la barre oblique) et le nombre entier qui précède la fraction, s'il y a lieu, doivent tous être distincts et non reliés entre eux par des traits d'union.

Rappelez-vous que le dénominateur (*quart, cinquième, dixième, centième...*) se met au pluriel dès qu'il y en a au moins deux.

Avez-vous remarqué la nuance que permet cette rectification de l'orthographe ? On distingue maintenant en orthographe nouvelle 20 1/4 de 21/4, ainsi que 300/200 et 302/100, distinction qui n'était pas possible quand on écrivait ces nombres en orthographe traditionnelle.

② *Cent-quatre-vingts dixièmes; cent quatre-vingt-dixièmes; cent-quatre-vingt-dixième; deux cent-quatre-vingt-huitièmes; deux-cents quatre-vingt-huitièmes; deux-cent-quatre vingt-huitièmes; deux-cent-quatre-vingts huitièmes; deux-cent-quatre-vingt-huitième; trois-cents centièmes; trois-cents deux-centièmes; trois-cent-deux centièmes; trois-cent-deux deux-centièmes.*

Avez-vous remarqué que le *s* à la fin de *quatre-vingts*, *deux-cents* et *trois-cents* n'est présent qu'à la fin du nombre, donc lorsqu'il n'y a pas de trait d'union qui suit ? L'inverse est aussi vrai : si un trait d'union suit *vingt* ou *cent*, c'est que *vingt* ou *cent* ne termine pas le nombre. On ne lui mettra donc pas de *s*. Le fait qu'en nouvelle orthographe on mette maintenant partout des traits d'union dans un nombre nous aide à y voir un peu plus clair pour appliquer l'accord ou non de *vingt* et de *cent* : dès que le trait d'union suit un de ces mots, celui-ci est invariable.

Tour d'horizon

La règle du trait d'union dans les nombres est tellement simple et systématique que vous en avez déjà fait presque le tour avec les exercices ci-dessus. Les interrogations et curiosités qui suivent vous en apprendront un peu plus ou clarifieront certains points.

Pensez à mettre des traits d'union la prochaine fois que vous rédigerez un chèque !

Interrogations et curiosités

✪ Comment écrit-on *80 600 080* et *200 500 000 000* ?

Réponse.

Quatre-vingt-millions-six-cent-mille-quatre-vingts et
deux-cent-milliards-cinq-cent-millions.

Pour les traits d'union, c'est simple : on en met partout.

Pour le pluriel de *million* et *milliard*, la règle n'a pas changé. Ces mots sont variables et s'accordent, comme toujours. Ils prennent donc la marque du pluriel s'il y en a plusieurs, même lorsqu'ils sont des éléments d'un nombre composé reliés par des traits d'union.

Vingt et *cent* relèvent depuis longtemps d'une règle quelque peu capricieuse, qui n'a pas été rectifiée : ils doivent, pour s'accorder, être multipliés et se trouver à la fin d'un nombre indiquant la quantité (cardinal) et non le rang (ordinal). Dans les deux exemples ci-dessus, lorsque *vingt* et *cent* ne sont pas en fin de nombre, ils restent invariables.

Le fait que *million* et *milliard* soient issus à l'origine de la catégorie « nom » pour former un numéral composé ne doit pas influencer ici l'accord de *vingt* et de *cent* : s'ils ne sont pas en fin de nombre, *vingt* et *cent* ne s'accordent pas. Observez d'ailleurs la belle cohérence (invariabilité de *cent*) dans tous ces exemples de nombres composés où *cent* ne termine pas le nombre :

deux-cent-trois ;
deux-cent-mille ;
deux-cent-millions ;
deux-cent-milliards.

Le numéral *mille* continue pour sa part d'être invariable en tout temps. Les rectifications n'ont pas touché à sa forme.

✪ Est-il exact que l'on peut écrire *Il y a un-million de mots dans ce livre* aussi bien que *Il y a un million de mots dans ce livre* ?

Réponse. Oui. On a le choix entre les deux. D'abord parce que le deuxième exemple est la façon d'écrire en ancienne orthographe et que celle-ci reste admise. Mais il y a plus. Même en nouvelle orthographe, on peut se permettre, dans cette expression, de ne pas mettre le trait d'union. Pourquoi ? Lisez l'explication détaillée ci-dessous. Les mordus ou les spécialistes de l'analyse grammaticale aimeront ces subtilités de la langue ; les autres pourront se contenter... de mettre le trait d'union !

Le mot *million* a la particularité de pouvoir être soit un numéral, soit un nom collectif. Il a la même forme dans les deux contextes, ce qui n'est pas le cas des autres nombres (*dix/dizaine, vingt/vingtaine, cent/centaine, mille/millier...*). Lorsqu'il est un numéral, *million* désigne un nombre exact et l'on utilise en nouvelle orthographe le trait d'union. Lorsqu'il est un nom collectif, il peut être précédé de n'importe quel déterminant (*un, ce, des, mes...*). Il ne prend donc pas le trait d'union dans un tel contexte, pas plus que n'en prennent *dizaine, centaine* ou *millier*, qui sont des noms collectifs aussi – et non des numéraux. Puisque le mot *un* peut être soit un numéral servant à composer un nombre, soit un déterminant indéfini singulier devant un nom collectif, la personne qui écrit a le choix d'utiliser le trait d'union ou non quand elle écrit *un* suivi de *million*, selon qu'elle veut désigner un nombre exact (*un-million* = 1 000 000) ou une approximation.

Comparons :

Numéral (nombre exact) :	*Il y a dix (10) mots dans ce livre.*
Nom collectif (approximatif) :	*Il y a une dizaine de mots.*
Nom collectif (approximatif) :	*Il y a des dizaines de mots.*
Numéral (nombre exact) :	*Il y a cent (100) mots dans ce livre.*
Nom collectif (approximatif) :	*Il y a une centaine de mots.*
Nom collectif (approximatif) :	*Il y a des centaines de mots.*
Numéral (nombre exact) :	*Il y a mille (1000) mots.*
Nom collectif (approximatif) :	*Il y a un millier de mots.*
Nom collectif (approximatif) :	*Il y a des milliers de mots.*
Numéral (nombre exact) :	*Il y a un-million (1 000 000) de mots.*
Nom collectif (approximatif) :	*Il y a un million de mots.*
Nom collectif (approximatif) :	*Il y a des millions de mots.*

✪ Comment écrit-on en toutes lettres le titre des célèbres contes arabes mettant en vedette Schéhérazade racontant des histoires durant 1001 nuits ?

Réponse. Les contes des mille-et-une nuits.

On écrit le nombre 1001 en lettres avec des traits d'union, comme le veut la règle générale. Il s'agit de la même application de la règle ici que dans *vingt-et-un*, par exemple.

Il est à noter que l'on emploie *mille-et-un* (plutôt que *mille-un*) dans un sens indéterminé. On emploie parfois de manière analogue *cent-et-un*, bien que cet emploi soit maintenant rare. Enfin, on dit *mille-et-trois* en parlant des conquêtes de Don Juan... (D'après l'ouvrage *Le français correct*.)

✪ Est-il correct d'écrire *Cet évènement aura lieu le huit aout de l'an de grâce deux-mil-douze* ?

Réponse. Non. Cette phrase contient une erreur : il est incorrect d'employer la forme *mil* pour écrire en lettres l'année 2012 ; il faut utiliser la forme *mille*. Cependant, on peut écrire *l'année mil-neuf-cent-soixante-douze* (1972) ou *mil-trois-cent-quarante* (1340). Pourquoi ? Cette question de l'emploi de *mil* à la place de *mille* ne relève pas des rectifications. Voici tout de même l'explication de cet emploi traditionnel : *mil* est une variante de *mille*, mais vient d'une forme latine signifiant « un millier ».

Cette variante *mil* désignait donc un seul millier. Voilà pourquoi on ne doit pas l'utiliser pour les années au-delà de 1999. On n'utilise *mil* que s'il ne s'agit pas de deux milliers ou plus, et s'il est suivi d'un autre numéral. On peut donc se permettre d'utiliser *mil* (comme variante facultative de *mille*) pour les dates de l'ère chrétienne de 1001 à 1999 (*l'an mil-un* ou *l'an mille-un*, *l'année mil-neuf-cent-quatre-vingt-dix-neuf* ou *mille-neuf-cent-quatre-vingt-dix-neuf*). Mais on écrit obligatoirement *l'an deux-mille* (et plus), et *l'an mille* (car *mille* n'est pas suivi d'un autre numéral). Et cela ne vaut que pour les dates : on ne peut pas écrire « mil-neuf-cent-quatre-vingt-dix-neuf personnes » avec la graphie *mil*. De plus, l'emploi de *mil* n'est valable que pour les dates de l'ère chrétienne (ainsi, si l'on parle de l'an 1502 avant Jésus-Christ, on ne peut pas écrire « mil-cinq-cent-deux »). Tout cela est bien capricieux... Si vous utilisez la forme *mille*, vous aurez la certitude de ne jamais commettre d'erreur, puisqu'elle est toujours possible. Rappelez-vous cependant que le numéral *mille* est invariable : *deux-mille,* et non « deux-milles ».

Pour terminer, mentionnons le point suivant à propos de l'exemple du 8 aout 2012 ci-dessus : on peut employer l'expression *de grâce* dans *l'an de grâce deux-mille-douze*. Comme on craignait la fin du monde pour l'an mille de l'ère chrétienne, toute année après l'an 1000 est considérée théoriquement comme une année de grâce divine !

✪ Dans la règle des traits d'union dans les nombres, on utilise le terme *numéraux*. Ne doit-on pas écrire plutôt *numéros* ?

Réponse. En linguistique et en grammaire, quand on parle d'un mot exprimant le nombre ou le rang, on dit qu'il s'agit d'un *numéral*. Par exemple, le mot *cinq* est un numéral cardinal (qui indique la quantité, le nombre), le mot *cinquième* est un numéral ordinal (qui indique le rang). Au pluriel, on dit que ce sont des *numéraux (un numéral, des numéraux)*. On trouve en français des déterminants numéraux, des adjectifs numéraux, des pronoms numéraux, des noms numéraux. Souvent, on les appelle simplement *les numéraux*. Il existe aussi le mot *numéro(s)* en français, qui signifie « chiffre » et s'utilise dans d'autres contextes que ceux de la linguistique (*numéro de téléphone, numéro sur un billet*).

✪ Si l'on doit écrire en lettres un montant d'argent dans un contrat, par exemple 1200, doit-on écrire *mille-deux-cents* ou *douze-cents* ?

Réponse. Les deux formes sont correctes. Prenons un autre exemple, celui de l'année 1850. On peut parler de l'année *mille-huit-cent-cinquante* ou de l'année *dix-huit-cent-cinquante*. Les deux emplois sont possibles, qu'il s'agisse de dates ou de quantités. Mais cette question n'a rien à voir avec les rectifications orthographiques. Cependant, rappelez-vous que, peu importe la forme que vous choisissez, les traits d'union sont requis partout dans le nombre.

Justifications

Pourquoi, en ancienne orthographe, écrivait-on *vingt-deux* avec un trait d'union, mais *cent deux* sans trait d'union ? L'emploi du trait d'union dans les numéraux composés répondait à une règle capricieuse, et difficilement justifiable, qui était très souvent malmenée. Qui n'a jamais eu un doute au moment de rédiger un chèque ?

Lors des débats préparatoires, la règle inverse (abandon pur et simple du trait d'union dans les numéraux composés) avait été envisagée ; or, la règle retenue présente plusieurs avantages. En particulier, le trait d'union permet de souligner l'unité complexe du nombre (en allemand, les numéraux composés s'écrivent carrément soudés : tous les éléments du nombre sont agglutinés), tout en conservant à l'ensemble sa lisibilité. De plus, les nombres inférieurs à cent paraissent plus fréquents dans les écrits quotidiens ; du moins, ce sont ceux que l'on rencontre le plus souvent en toutes lettres : il semble donc assez logique d'aligner les numéraux supérieurs à cent sur ceux inférieurs à cent plutôt que de faire le contraire. Enfin, l'emploi systématique du trait d'union permet une plus grande précision, en distinguant par exemple *cinquante-et-un tiers* (51/3) de *cinquante et un tiers* (50 + 1/3).

◈

Certains préfixes

Règles

Les préfixes[*] ***contre-, entre-, extra-, infra-, intra-*** **et** ***ultra-*** **ne prennent plus le trait d'union.**

> *contreculture* (plutôt que *contre-culture*)
> *entrejambe* (plutôt que *entre-jambe*)
> *extralucide* (plutôt que *extra-lucide*)
> *ultrachic* (plutôt que *ultra-chic*)

De plus, le trait d'union est remplacé par la soudure dans les composés d'éléments dits « savants » (éléments non autonomes), en particulier ceux en -o.

> *cutiréaction* (plutôt que *cuti-réaction*)
> *électroacoustique* (plutôt que *électro-acoustique*)
> *hydroélectricité* (plutôt que *hydro-électricité*)
> *macroéconomie* (plutôt que *macro-économie*)

[*] Un préfixe est un élément que l'on place au début d'un mot, pour en modifier le sens. Par exemple, dans *contrejour*, *contre-* est un préfixe.

REMARQUES

1. Certains mots conservent cependant le trait d'union. Il s'agit des quelques cas où la soudure engendrerait une prononciation défectueuse. Par exemple : *extra-utérin* (et non « extrautérin »), *vésico-utérin* (et non « vésicoutérin »). En effet, les suites non souhaitables « intrautérin » et « vésicoutérin » contiendraient d'une part la combinaison de lettres *a* et *u* (*au*), qui se prononce comme dans <u>au</u>be en français, et d'autre part la combinaison *o* et *u* (*ou*), qui se prononce comme dans <u>ou</u>ragan. Ces mots, s'ils étaient écrits sans trait d'union, provoqueraient une mauvaise prononciation au moment de la lecture.

2. Le trait d'union est justifié et donc maintenu dans les compositions libres construites à partir de noms propres ou géographiques. Le trait d'union sert alors à marquer une relation de coordination entre les deux termes. Par exemple : *anglo-danois, gréco-romain, italo-russe.*

3. Les préfixes *contr(e)-* et *entr(e)-* s'écrivent sans le *e*, naturellement, si l'élément qui suit commence par une voyelle. Par exemple : *contrexemple, contrindication, s'entraimer, s'entrégorger.*

Exercices (niveau 1)

❶ UTILISEZ ADÉQUATEMENT LES PRÉFIXES CI-DESSOUS EN ÉCRIVANT CORRECTEMENT LA COMBINAISON DEMANDÉE ET EN TENANT COMPTE DES RECTIFICATIONS. (EXEMPLE : ULTRA + SENSIBLE : ULTRASENSIBLE.)

contre + courant : _____

contre + jour : _____

contre + performance : _____

entre + temps : _____

extra + fort : _____

extra + terrestre : _____

infra + sonore : _____

intra + veineuse : _____

ultra + court : _____

ultra + son : _____

❷ ÉCRIVEZ CORRECTEMENT LA COMBINAISON DEMANDÉE, EN TENANT COMPTE DES RECTIFICATIONS.

aéro + club : _____

audio + visuel : _____

cardio + vasculaire : _____

ciné + parc : _____

cumulo + nimbus : _____

électro + aimant : _____

hydro + électrique : _____

médico + légal : _____

micro + économie : _____

mini + jupe : _____

socio + économique : _____

télé + film : _____

Réponses (niveau 1)

① *Contrecourant; contrejour; contreperformance; entretemps; extrafort; extraterrestre; infrasonore; intraveineuse; ultracourt; ultrason.*

Il suffisait de souder les deux éléments…

② *Aéroclub; audiovisuel; cardiovasculaire; cinéparc; cumulonimbus; électroaimant; hydroélectrique; médicolégal; microéconomie; minijupe; socioéconomique; téléfilm.*

Même remarque.

Exercices (niveau 2)

❶ **UTILISEZ ADÉQUATEMENT LES PRÉFIXES CI-DESSOUS EN ÉCRIVANT CORRECTEMENT LA COMBINAISON DEMANDÉE ET EN TENANT COMPTE DES RECTIFICATIONS.**

contre + attaquer : _____

contre + épreuve : _____

contre + exemple : _____

contre + proposition : _____

entre + apercevoir : _____

entre + temps : _____

extra + fin : _____

extra + sensoriel : _____

infra + sonore : _____

intra + oculaire : _____

intra + utérin : _____

ultra + violet : _____

❷ **Écrivez correctement la combinaison demandée, en tenant compte des rectifications.**

agro + alimentaire : _____

broncho + pneumonie : _____

cirro + cumulus : _____

franco + belge : _____

maniaco + dépressif : _____

mini + cassette : _____

néo + gothique : _____

oto + rhino + laryngologiste : _____

photo + électrique : _____

post + industriel : _____

socio + culturel : _____

spatio + temporel : _____

Réponses (niveau 2)

① *Contrattaquer; contrépreuve; contrexemple; contreproposition; entrapercevoir; entretemps; extrafin; extrasensoriel; infrasonore; intraoculaire; intra-utérin; ultraviolet.*

> Attention à *intra-utérin* : la soudure engendrerait une prononciation défectueuse. De plus, *contr(e)-* et *entr(e)-* perdent le *e* lorsque l'élément qui suit commence par une voyelle.

② *Agroalimentaire; bronchopneumonie; cirrocumulus; franco-belge; maniacodépressif; minicassette; néogothique; otorhinolaryngologiste; photoélectrique; postindustriel; socioculturel; spatiotemporel.*

> Attention à *franco-belge,* qui fait partie des compositions libres construites à partir de noms propres ou géographiques.

Tour d'horizon

Les préfixes *contr(e)-, entr(e)-, extra-, infra-, intra-* et *ultra-* sont soudés. Plusieurs autres préfixes ou éléments savants (notamment ceux avec -o) le sont aussi : *aéro-, auto-, ciné-, post-,* etc. Les exercices vous en ont donné un bon aperçu. Voici quelques exemples supplémentaires : *autoadhésif, céphalorachidien, cinéclub, cirrostratus, cumulostratus, électroencéphalogramme, gastroentérite, minichaine, néoclassique, oligoélément, postmoderne, postnatal, tragicomédie.*

| Interrogations et curiosités

✪ Quand on consulte la liste des mots touchés par les rectifications orthographiques dans le *Vadémécum de l'orthographe recommandée*, on ne trouve pas les mots *contretemps* et *électromagnétique*. Pourtant, ils s'écrivent bel et bien en un seul mot selon les dictionnaires. De plus, ils respectent la règle : l'un est composé du préfixe *contr(e)-*, l'autre de l'élément *électro-*. Pourquoi ne sont-ils pas dans la liste comme les autres ?

Réponse. Les rectifications ont eu pour objectif de généraliser des façons régulières d'orthographier les mots, donc d'uniformiser les graphies. Avant la publication des rectifications, les dictionnaires contenaient déjà les graphies *contretemps* et *électromagnétique* en un mot. Il régnait cependant une incohérence assez grande : on trouvait *contretemps*, mais *contre-plaqué;* on trouvait *électromagnétique*, mais *électro-aimant*. Ces incohérences dans les dictionnaires donnaient bien des difficultés inutiles aux usagers de la langue. Il fallait apprendre par cœur les mots qui prenaient le trait d'union et ceux qui n'en prenaient pas. C'était le désordre parmi des mots ayant pourtant le même préfixe, et, dans le doute, il fallait toujours consulter un dictionnaire. Comble de malheur, il n'y avait pas toujours consensus entre les dictionnaires! Le comité qui a élaboré les rectifications a eu la sagesse de mettre un peu d'ordre là-dedans, en dégageant des règles générales pour certains préfixes ou éléments savants. Depuis, dans les dictionnaires plus récents, *contre-plaqué* est devenu *contreplaqué*, comme *contretemps*, et *électro-aimant* est devenu *électroaimant*, comme *électromagnétique*. Malheureusement, certains dictionnaires n'ont pas pris encore le temps de procéder au «grand ménage» complet dans leur désordre. Voilà pourquoi il est important de consulter un outil de référence qui s'est mis entièrement à jour en la matière (comme une édition récente du *Dictionnaire Hachette*, un logiciel du type Antidote Prisme ou ProLexis, le *Vadémécum de l'orthographe recommandée*, etc.).

C'est parce que *contretemps* et *électromagnétique* s'écrivaient déjà en un mot dans les dictionnaires avant la publication des rectifications orthographiques que ces mots n'ont pas eu besoin d'être rectifiés. Ils respectaient déjà la règle générale. Voilà pourquoi on ne les trouve pas dans la liste des mots modifiés par les rectifications.

✪ Si, en nouvelle orthographe, on écrit en un seul mot *agroalimentaire* et *autoécole*, pourquoi continue-t-on d'écrire *agro-industrie*, *auto-intoxication* et *auto-immunitaire* avec un trait d'union ?

Réponse. Parce que le trait d'union doit être maintenu dans un cas particulier : lorsque la soudure entrainerait une prononciation défectueuse à la lecture. Si l'on écrivait « agroindustrie », on obtiendrait la suite de lettres *oin*, qui rime avec le mot *coin*. Or, ce n'est pas un son que l'on veut entendre dans *agro-industrie*. Si l'on écrivait « autointoxication », on obtiendrait la même mauvaise prononciation lors de la lecture. Si l'on écrivait « autoimmunitaire », on obtiendrait la suite de lettres *oi* devant *m*, qui rime avec le mot *roi*. Or, ce n'est pas un son que l'on veut entendre dans « auto-immunitaire ». Pour éviter des prononciations défectueuses, on conserve le trait d'union dans ces rares cas.

○ Pourquoi ne mentionne-t-on pas le préfixe *para-* (*parascolaire, paralittéraire, parapsychologie...*) dans les règles des rectifications orthographiques ?

Réponse. Parce que les mots construits avec le préfixe *para-* n'ont pas eu besoin d'être rectifiés : ils s'écrivaient déjà tous sans trait d'union. Il n'y avait pas d'incohérence à rectifier puisque la règle générale était déjà bien en place dans les dictionnaires, sans exceptions. C'est aussi le cas de presque tous les mots commençant par *pré-* (*préscolaire, préretraite*) et *co-* (*coauteur, copropriétaire*). Voilà pourquoi on n'en fait pas mention dans les règles.

Justifications

Avec ces nouvelles règles, la soudure de plusieurs séries de mots composés, commencée voilà plusieurs siècles, est enfin achevée. En 1835, sur les quatre-vingt-dix mots composés avec *contr(e)-*, l'Académie en écrivait soudés dix-huit. Elle en a ensuite agglutiné treize autres en 1878, puis douze de plus en 1932-35... Le même scénario s'est produit avec les mots composés de *entr(e)-* : à peine 40 % de ces mots s'écrivaient d'un seul bloc en 1835 ; cent ans plus tard, ils étaient près de deux tiers à être soudés[*]. Aujourd'hui, ils le sont tous.

◆

Autres soudures

Les onomatopées (mots imitatifs) **s'écrivent sans trait d'union.**

coincoin (plutôt que *coin-coin*)
guiliguili (plutôt que *guili-guili*)
hihan ! (plutôt que *hi-han !*)

---

[*] D'après l'*Histoire de l'orthographe française*, de Nina Catach (édition posthume par Renée Honvault), signalée dans la bibliographie.

La soudure est également favorisée dans les mots d'origine étrangère.

bigbang (plutôt que *big-bang* ou *big bang*)
harakiri (plutôt que *hara-kiri*)
weekend (plutôt que *week-end*)

Le trait d'union est remplacé par la soudure dans les mots composés d'un verbe et de -*tout*.

essuietout (plutôt que *essuie-tout*)
mangetout (plutôt que *mange-tout*)
mêletout (plutôt que *mêle-tout*)

Le trait d'union est remplacé par la soudure dans quelques autres mots composés. En particulier, on favorise la graphie soudée lorsqu'elle existait déjà à côté d'une graphie non soudée, et on soude certains mots dont le sens originel n'est plus perçu.

bassecour (plutôt que *basse-cour*)
hautefidélité (plutôt que *haute-fidélité*)
d'arrachepied (plutôt que *d'arrache-pied*)
portemonnaie (plutôt que *porte-monnaie*, par analogie avec *portefeuille*)
bienêtre (plutôt que *bien-être*)
rondpoint (plutôt que *rond-point*)

REMARQUE

Les mots soudés deviennent des mots simples : par conséquent, ils suivent la règle générale du singulier et du pluriel.

un millepatte, des millepattes (plutôt que *un mille-pattes, des mille-pattes*)

Exercice (niveau 1)

LES MOTS SUIVANTS SONT EN ANCIENNE ORTHOGRAPHE. ÉCRIVEZ-LES EN NOUVELLE ORTHOGRAPHE.

base-ball : _____

bien-fondé : _____

bla-bla-bla : _____

boute-en-train : _____

en-tête : _____

frou-frou : _____

haut-parleur : _____

hot-dog ou *hot dog* : _____

mille-pattes : _____

plate-forme : _____

porte-clé : _____

tsoin-tsoin : _____

Réponses (niveau 1)

Baseball; *bienfondé*; *blablabla*; *boutentrain*; *entête*; *froufrou*; *hautparleur*; *hotdog*; *millepatte*; *plateforme*; *porteclé*; *tsointsoin*.

Notez que *boutentrain* a évidemment perdu un *e* en se soudant. Par ailleurs, on écrit désormais *millepatte* sans marque du pluriel au singulier (tout comme on écrivait déjà un *millefeuille*).

Exercice (niveau 2)

DITES POURQUOI LES MOTS SUIVANTS ONT ÉTÉ SOUDÉS.

brisetout : _____

donjuan : _____

froufrou : _____

lockout : _____

millepatte : _____

mangetout : _____

statuquo : _____

tictac : _____

tirebouchon : _____

vanupied : _____

waterpolo : _____

weekend : _____

Réponses (niveau 2)

Brisetout est un mot composé avec *-tout*. *Donjuan* est une graphie dite lexicalisée (c'est-à-dire en un seul « bloc ») qui a pour origine le nom espagnol *Don Juan*. *Froufrou* est une onomatopée. *Lockout* est un mot emprunté à l'anglais. *Millepatte* est soudé par analogie avec *millefeuille*; un millepatte n'est pas un « mille-pattes » dans la mesure où il n'a pas mille pattes... *Mangetout* est un mot composé avec *-tout*. *Statuquo* est un mot emprunté au latin. *Tictac* est une onomatopée. *Tirebouchon* s'écrit en un seul mot, comme c'était déjà le cas de *tirebouchonner*. Le sens premier de *vanupied* n'est plus clairement perçu. *Waterpolo* et *weekend* sont des mots empruntés à l'anglais (et, contrairement à leur graphie ancienne en français, ils ne s'écrivent pas avec un trait d'union dans leur langue d'origine !).

Tour d'horizon

Pour vous donner un très bon aperçu de la liste des mots touchés par la soudure, voici d'autres exemples, qui ne figurent pas déjà dans les exercices ni dans les interrogations : *cachecache, cuicui, flafla, grigri, kifkif, passepasse, poussepousse, tamtam, traintrain, tsétsé, yéyé, yoyo, clopinclopant, mélimélo, pêlemêle, à clochepied, autoécole, bienaimé, branlebas, chauvesouris, couvrepied, croquemadame, croquemitaine, croquemonsieur, croquemort, croquenote, fairepart, lieudit, mainforte, malfamé, passepartout, platebande, potpourri, saufconduit, soutasse, surmoi, tapecul, terreplein, tirefond, vélotaxi, volteface, faitout, fourretout, risquetout, vatout, (un) apriori, babyboum, boyscout, cowboy, facsimilé, foxtrot, handball, hifi, motocross, offshore, pingpong, primadonna, quotepart, tohubohu.*

Interrogations et curiosités

○ **Pourquoi les rectifications ont-elles soudé *porteclé, portecrayon, portemanteau, portemine*, mais pas *porte-cigare, porte-couteau, porte-malheur, porte-menu* ?**

Réponse. Lors de l'élaboration des rectifications, des principes généraux ont été dégagés : soudure avec certains préfixes (*ultraviolet*), dans les onomatopées (*coincoin*), etc., mais il n'a pas été question de modifier d'un coup des milliers de mots de type « verbe + nom » (comme *porte-cigare*), le bouleversement aurait été trop grand. On a donc recommandé la soudure pour un nombre restreint de mots, par analogie avec des mots semblables qui ne portaient pas le trait d'union, ou parce que l'on trouvait déjà dans un dictionnaire ou un autre la forme sans trait d'union. Les dictionnaires se contredisaient souvent et on trouvait parfois différentes variantes : il y avait bien souvent de l'hésitation dans l'air...

Bref, lorsque plusieurs graphies existaient pour un même mot, on a privilégié celle qui est soudée. De plus, on a soudé certains mots pour différentes raisons, afin de poursuivre une action progressive et vieille de plusieurs siècles. Si les rectifications n'ont pas touché au trait d'union de *porte-avion, porte-bonheur, porte-document, porte-drapeau, porte-jarretelle, porte-parole, porte-savon*, etc., c'est parce que ceux-ci n'existaient que sous la forme avec trait d'union dans tous les dictionnaires. Notez cependant que, même si leur trait d'union n'a pas été enlevé, la formation de leur pluriel a été régularisée : ils ne sont plus invariables au pluriel (exemple : *des porte-bonheurs* – voir p. 56). Les mots commençant par *porte-* qui sont soudés sont uniquement les suivants : *porteclé, portecrayon, portefort, portemanteau, portemine, portemonnaie, porteplume, portevoix.*

✪ Puisque ce ne sont pas tous les mots composés qui perdent le trait d'union, doit-on apprendre par cœur la liste de ceux qui ont été modifiés ?

Réponse. Non, évidemment : le but des rectifications est d'étendre le champ d'application de règles générales et de supprimer des exceptions, de clarifier certains points – mais certainement pas de vous faire mémoriser des listes de mots sans justification !

En fait, si l'on regarde bien, la plupart des mots soudés répondent à une règle générale : composés avec *contr(e)-, entr(e)-, extra-, infra-, intra-* et *ultra-*, composés avec élément « savant » non autonome, onomatopées, mots empruntés à une autre langue, composés avec *-tout*). Pour les quelques cas restants, soit on a décidé de souder le mot parce que son sens premier n'est pas compris (l'origine de *potpourri* n'est plus connue) ou par analogie (*portemonnaie* comme *portefeuille*), soit on a privilégié la graphie soudée (entre les deux formes existantes *médicolégal* et *médico-légal*, on a préféré la première).

✪ La nouvelle orthographe recommande la soudure (absence de trait d'union) dans les mots empruntés comme *weekend, fairplay, fastfood, milkshake, bestseller, jukebox,* etc. Est-ce que la nouvelle orthographe favoriserait l'emploi d'anglicismes en français ?

Réponse. La nouvelle orthographe ne favorise l'emploi d'aucun mot de vocabulaire : les rectifications ne font que préciser la façon d'orthographier des mots, parmi lesquels figurent des mots d'origine étrangère. Les rectifications touchent uniquement à l'orthographe (qui est le « vêtement » de la langue), et non à la langue elle-même. Ce n'est pas parce que *carferry* a été soudé que vous devez employer ce mot plutôt que *transbordeur* ou *traversier* ! Remarquez cependant que certains mots empruntés sont très bien admis en français (ex. : *baseball*) ; c'est surtout le cas lorsqu'ils n'ont pas d'équivalent – parfois (notamment lorsqu'ils font référence à une notion propre à une culture, à une région), ils sont pour ainsi dire incontournables. Et ces mots ne sont pas tous d'origine anglaise : pensons à *ossobuco* (italien), *donjuan* (espagnol), *statuquo* (latin), *harakiri* (japonais), pour ne citer qu'eux.

✪ Est-ce que tous les mots composés avec *bas(se)-, haut(e)-* et *mille-* sont maintenant soudés ?

Réponse. Non. Les plus fréquents sont : *bassecour, hautefidélité, hautparleur, millefeuille, millepatte, millepertuis*. En voici d'autres : *bassecontre, bassecourier, bassedanse, bassefosse, basselisse, basselissier, bassetaille, hautecontre, hautelisse, millefleur*. En revanche, des mots comme *haut-commissariat, haut-alpin, haut-relief, bas-relief* conservent le trait d'union.

○ **Puisque le trait d'union est remplacé par la soudure dans des mots composés avec *mille-*, on écrit maintenant *un millepatte*. Mais pourquoi *un mille-pattes* est-il devenu *un millepatte* sans *s* final ?**

Réponse. Non seulement *mille-pattes* a perdu son trait d'union, mais il a effectivement perdu aussi son *s* final au singulier. Il suit la règle générale du singulier et du pluriel parce qu'il est devenu un mot simple. On a *un millepatte, des millepattes*, comme on avait déjà couramment *un millefeuille, des millefeuilles*. Nous n'avons plus à analyser ces mots en leurs composantes. D'ailleurs, un millepatte n'a pas mille pattes, tout comme un millefeuille n'a pas mille feuilles. Ce sont maintenant des noms communs réguliers, comme le sont les mots simples *insecte, pâtisserie, plante*. À propos, saviez-vous que *millefeuille* a deux sens, selon qu'il est employé au masculin ou au féminin ? Il peut s'agir d'une pâtisserie (un gâteau à pâte feuilletée appelé *un millefeuille*) ou d'une espèce de plante *(une millefeuille,* féminin). Tous les deux s'écrivent sans trait d'union, sans *s* au singulier, et avec *s* au pluriel.

Justifications

La soudure de plusieurs types de mots (onomatopées, mots avec *-tout,* etc.) consacre leur lexicalisation, ce dont il faut se réjouir : ainsi la cohérence est-elle rétablie entre *portefeuille* et *portemonnaie,* entre *millefeuille* et *millepatte...*

LE SINGULIER ET LE PLURIEL

Le singulier et le pluriel de certains mots ont été régularisés.

▶ On donne systématiquement un singulier et un pluriel réguliers aux mots comme *brise-glace* ou *après-midi*, formés à l'origine d'une forme verbale et d'un nom, ou d'une préposition et d'un nom.

▶ Les mots empruntés forment leur pluriel comme les mots français.

Noms composés

Règle

Les noms avec trait d'union qui sont composés à l'origine d'une forme verbale et d'un nom (*brise-glace*), ou d'une préposition et d'un nom (*après-midi*) suivent la règle des mots simples pour le singulier et le pluriel, c'est-à-dire qu'ils prennent la marque du pluriel (au second élément) seulement et toujours lorsqu'ils sont au pluriel. Tout est donc régulier : le nom reste singulier au singulier, et il porte la marque du pluriel au pluriel.

Exceptions : les mots dont le second élément contient un article (comme *trompe-l'œil*) ou commence par une majuscule (comme *prie-Dieu*).

un brise-lame, des brise-lames (plutôt que un brise-lames, des brise-lames)
un après-midi, des après-midis (plutôt que un après-midi, des après-midi)

Exercices (niveau 1)

❶ *PARMI LES NOMS COMPOSÉS SUIVANTS, LESQUELS SONT TOUCHÉS PAR LES RECTIFICATIONS ORTHOGRAPHIQUES ?*

❑ *arc-en-ciel*

❑ *après-midi*

❑ *attrape-nigaud*

❑ *centre-ville*

❑ *crève-cœur*

❑ *grand-père*

❑ *hache-viande*

❑ *Jean-Pierre*

❑ *pause-café*

❑ *rince-bouche*

❑ *taille-crayon*

❑ *trompe-l'œil*

❷ *Donnez le singulier (en nouvelle orthographe) des noms composés suivants.*

des *bouche-pores*, un _____

des *casse-noisettes*, un _____

des *compte-gouttes*, un _____

des *cure-ongles*, un _____

des *lance-missiles*, un _____

des *monte-sacs*, un _____

des *ouvre-huitres*, un _____

des *porte-balais*, un _____

des *presse-agrumes*, un _____

des *remue-ménages*, un _____

des *tue-mouches*, un _____

des *vide-ordures*, un _____

Réponses (niveau 1)

① *Après-midi* (préposition + nom), *attrape-nigaud* (verbe + nom), *crève-cœur* (verbe + nom), *hache-viande* (verbe + nom), *rince-bouche* (verbe + nom) et *taille-crayon* (verbe + nom) sont touchés par les rectifications.

Les autres mots n'ont pas été touchés par les rectifications, car ils n'ont pas été construits sur le modèle «verbe + nom» ni sur le modèle «préposition + nom». Notez que les noms propres ne sont jamais touchés par les rectifications orthographiques.

② *Un bouche-pore; un casse-noisette; un compte-goutte; un cure-ongle; un lance-missile; un monte-sac; un ouvre-huitre; un porte-balai; un presse-agrume; un remue-ménage; un tue-mouche; un vide-ordure.*

Saviez-vous que même les dictionnaires ne s'entendaient pas toujours à l'époque sur cette question? Ils se contredisaient assez régulièrement l'un l'autre... et parfois même eux-mêmes, au sujet du singulier ou du pluriel. Les rectifications ont mis un peu d'ordre de ce côté-là.

Vous avez trouvé l'exercice facile? Tant mieux, c'est le but des rectifications. Quel plaisir que d'utiliser la nouvelle orthographe!

Exercices (niveau 2)

❶ *PARMI LES NOMS COMPOSÉS SUIVANTS, LESQUELS SONT TOUCHÉS PAR LES RECTIFICATIONS ORTHOGRAPHIQUES ?*

❑ *appuie-main*
❑ *cache-pot*
❑ *cure-dent*
❑ *garde-malade*
❑ *garde-pêche*
❑ *garde-robe*

❑ *hors-jeu*
❑ *Moyen-Orient*
❑ *pare-brise*
❑ *passe-droit*
❑ *sans-le-sou*
❑ *trouble-fête*

❷ *DONNEZ LE PLURIEL (EN NOUVELLE ORTHOGRAPHE) DES NOMS COMPOSÉS SUIVANTS.*

un abat-jour, des _____

un chasse-neige, des _____

un chauffe-eau, des _____

un coupe-faim, des _____

un coupe-feu, des _____

un essuie-main, des _____

un ou *une garde-côte*, des _____

un ou *une garde-chasse*, des _____

un pare-soleil, des _____

un porte-drapeau, des _____

un presse-papier, des _____

un ou *une rabat-joie*, des _____

Réponses (niveau 2)

① *Appuie-main* (verbe + nom), *cache-pot* (verbe + nom), *cure-dent* (verbe + nom), *garde-malade* (verbe + nom), *garde-pêche* (verbe + nom), *garde-robe* (verbe + nom), *hors-jeu* (préposition + nom), *pare-brise* (verbe + nom), *passe-droit* (verbe + nom) et *trouble-fête* (verbe + nom) sont touchés par les rectifications.

Les autres mots n'ont pas été touchés par les rectifications, car ils n'ont pas été construits sur le modèle «verbe + nom» ni sur le modèle «préposition + nom». De surcroit, *Moyen-Orient* est un nom propre, et aucun nom propre n'est touché par les rectifications ; *sans-le-sou* n'est pas concerné, car il contient un article.

Le mot *appuie*, utilisé à l'origine pour créer le mot *appuie-main*, est bien un verbe. Il existe en français le nom *appui* (*prendre appui, donner son appui*), mais celui-ci ne prend pas de *e*, alors que la forme verbale en prend un.

Le mot *garde-pêche* peut avoir deux significations : «personne responsable de la surveillance» ou «embarcation utilisée pour la surveillance». En ancienne orthographe, le pluriel désignant la personne était *gardes-pêche*, alors que le pluriel désignant l'embarcation était invariable : *garde-pêche*. En effet, autrefois, l'élément *garde-* était traité dans les mots composés parfois comme un nom (*un* ou *une garde*), parfois comme une forme verbale (*il* ou *elle garde*); or, c'était purement et simplement une faute de considérer que l'élément *garde-* était un nom dans *garde-pêche*, car c'est, là aussi, bel et bien une forme verbale. La règle des rectifications s'applique à tous les composés construits avec *garde-* et évite des distinctions qui sont inutiles, et qui sont surtout grammaticalement non seulement infondées, mais encore incorrectes.

② *Des abat-jours; des chasse-neiges; des chauffe-eaux; des coupe-faims; des coupe-feux; des essuie-mains; des garde-côtes; des garde-chasses; des pare-soleils; des porte-drapeaux; des presse-papiers; des rabat-joies.*

La règle du singulier et du pluriel de ces mots composés suit la règle des mots simples, et elle est systématique. Vous n'avez donc plus à consulter un dictionnaire ou à vous poser des questions du genre : «Cet objet sert-il à chasser de la neige ou des neiges, à essuyer une main ou des mains, à parer contre le soleil ou des soleils, à presser du papier ou des papiers?» Le nom composé a été construit à l'origine à partir de deux mots dans le but de désigner une nouvelle réalité (un objet ou une personne). La marque du singulier (ou du pluriel) à la fin du mot composé indique qu'il y a un (ou plusieurs) de ces objets ou de ces personnes, tout simplement comme c'est le cas des mots simples.

On écrit : *une déneigeuse, des déneigeuses.*
On écrit aussi : *un chasse-neige, des chasse-neiges.*

On écrit : *un ou une responsable, des responsables.*
On écrit aussi *un ou une garde-chasse, des garde-chasses.*

On écrit : *une serviette, des serviettes.*
On écrit aussi : *un essuie-main, des essuie-mains.*

Notez que, bien évidemment, les mots *eau, feu* et *drapeau* ne prennent pas un *s* comme marque de pluriel, mais bien un *x*.

| Tour d'horizon

Il existe un trop grand nombre de noms composés construits sur le modèle «verbe + nom» ou sur le modèle «préposition + nom» pour les nommer tous. Il suffit de savoir les reconnaitre, et de se rappeler que leur singulier et leur pluriel est maintenant régularisé.

Curiosités

○ **Comment met-on *gratte-ciel* au pluriel ?**

Réponse. On dit et on écrit *des gratte-ciels*.

Il existe deux pluriels possibles au mot *ciel*, selon le contexte : *cieux* ou *ciels*. C'est ce second (*ciels*, au sens de « partie de l'espace visible au-dessus de l'horizon ») qui est utilisé dans *gratte-ciels*. Rappelez-vous que les rectifications touchent à l'orthographe et non à la langue.

○ **La règle de la nouvelle orthographe pour le singulier et le pluriel des noms composés est-elle entièrement nouvelle ?**

Réponse. Non. Par exemple, *un couvre-pied* s'écrivait déjà sans *s* au singulier dans le *Dictionnaire* de l'Académie française au XVIIIe siècle, et *des abat-jours* prenait un *s*. Les rectifications n'apportent pas que du nouveau. Elles confirment aussi des graphies qui existaient déjà à une certaine époque et qui sont cohérentes avec la règle. Il ne s'agit pas de changer pour changer, mais bien de changer pour apporter une simplification justifiée, une uniformité !

Justifications

Une fois de plus, la nouvelle orthographe apporte une plus grande cohérence dans le système orthographique, en rapprochant le singulier de *cure-ongle* de celui de *cure-dent*.

Puisque l'expression *des sèche-cheveux* ne réfère pas à des cheveux à sécher, ni à l'acte de les sécher, mais bien à plusieurs appareils, il est normal d'y mettre une marque du pluriel : le *x* qui se trouve à la fin du nom composé. De même, il est parfaitement logique que *un sèche-cheveu*, qui désigne un seul appareil, ne prenne pas de *x* au singulier.

Il importe de bien distinguer la réalité désignée par le mot (des gratte-ciels sont des immeubles tellement haut qu'ils donnent l'impression de « toucher » le ciel) avec la graphie du mot lui-même. Cette dernière obéit à des règles grammaticales simples et logiques : le mot est au singulier, alors il ne prend pas la marque du pluriel ; le mot est au pluriel, alors il prend la marque du pluriel.

Dans un nom composé comme *un sèche-cheveu* ou *des gratte-ciels*, qui ont été construits à l'origine à partir d'une forme verbale et d'un nom, le premier élément (*sèche* ou *gratte*) n'est plus une forme verbale : il est précédé d'un article, est lié par un trait d'union au mot qui suit, ne se conjugue plus (on n'écrit pas « des sèch<u>ent</u>-cheveux », bien que ces appareils sèch<u>ent</u> effectivement les cheveux). La présence du trait d'union nous confirme que *sèche* et *gratte* ne sont plus, ici, des formes verbales, mais qu'ils constituent bien (avec le mot qui suit) de nouveaux mots, des noms à part à entière – que l'on peut mettre au singulier aussi bien qu'au pluriel. La marque du pluriel est uniquement portée tout à la fin du mot, comme on le fait pour les mots simples.

Mots étrangers

Les mots étrangers (y compris les mots latins) **qui sont utilisés en français ont un singulier et un pluriel réguliers, comme les mots français.**

un gentleman, des gentlemans (plutôt que *un gentleman, des gentlemen*)
une miss, des miss (plutôt que *une miss, des misses*)
un graffiti, des graffitis (plutôt que *des graffiti*)
[des mesures] standards (plutôt que *[des mesures] standard*)

Exercices (niveau 1)

❶   METTEZ LES MOTS SUIVANTS AU PLURIEL (EN NOUVELLE ORTHOGRAPHE).

un barman, des _____

un bravo, des _____

un conquistador, des _____

un curriculum, des _____

un duplicata, des _____

un graffiti, des _____

un macaroni, des _____

un match, des _____

un maximum, des _____

un ravioli, des _____

un sandwich, des _____

un varia, des _____

❷   METTEZ LES MOTS SUIVANTS AU PLURIEL (EN NOUVELLE ORTHOGRAPHE).

un crescendo, des _____

un iota, des _____

un jazzman, des _____

un lobby, des _____

un lunch, des _____

un scampi, des _____

un scotch, des _____

un smash, des _____

un solo, des _____

un ou *une soprano*, des _____

un symposium, des _____

un wallaby, des _____

❘ Réponses (niveau 1)

① *Des barmans; des bravos; des conquistadors; des curriculums; des duplicatas; des graffitis; des macaronis; des matchs; des maximums; des raviolis; des sandwichs; des varias.*

② *Des crescendos; des iotas; des jazzmans; des lobbys; des lunchs; des scampis; des scotchs; des smashs; des solos; des sopranos; des symposiums; des wallabys.*

Il suffisait d'ajouter un *s* au pluriel.

❘ Exercices (niveau 2)

❶   *METTEZ LES MOTS SUIVANTS AU PLURIEL (EN NOUVELLE ORTHOGRAPHE).*

un addenda, des _____

un ou *une boss*, des _____

un ou *une imprésario*, des _____

un mafioso, des _____

un média, des _____

un mémorandum, des _____

un ranch, des _____

un référendum, des _____

un scénario, des _____

un stimulus, des _____

un upsilon, des _____

un vadémécum, des _____

❷   **METTEZ LES MOTS SUIVANTS AU PLURIEL (EN NOUVELLE ORTHOGRAPHE).**

un babyfoot, des _____

un bluejean, des _____

un égo, des _____

un jukebox, des _____

un citoyen lambda, des _____

un leitmotiv, des _____

un ossobuco, des _____

une personne sexy, des _____

un sketch, des _____

une voiture standard, des _____

un statuquo, des _____

une taliatelle, des _____

Réponses (niveau 2)

① Des addendas; des boss; des imprésarios; des mafiosos; des médias; des mémorandums; des ranchs; des référendums; des scénarios; des stimulus; des upsilons; des vadémécums.

Lorsque le mot singulier se termine par un s, la forme au pluriel est identique : un boss, des boss, comme un autobus, des autobus.

Vous avez peut-être remarqué que certains de ces mots ont maintenant une graphie francisée ou simplifiée : imprésario au lieu de impresario, mafioso au lieu de maffioso ou mafioso, référendum au lieu de referendum, vadémécum au lieu de vade-mecum.

② Des babyfoots; des bluejeans; des égos; des jukebox; des citoyens lambdas; des leitmotivs; des ossobucos; des personnes sexys; des sketchs; des voitures standards; des statuquos; des taliatelles.

Lorsque le mot singulier se termine par un x, la forme au pluriel est identique : un jukebox, des jukebox, comme doux, faux ou heureux.

Vous avez peut-être remarqué que certains de ces mots ont maintenant une graphie francisée ou simplifiée : babyfoot au lieu de baby-foot, bluejean au lieu de blue-jean, égo au lieu de ego, jukebox au lieu de juke-box, ossobuco au lieu de osso buco, statuquo au lieu de statu quo, taliatelle au lieu de tagliatelle ou taliatelle (les deux graphies étaient au choix : la plus conforme aux règles du français a été retenue).

Tour d'horizon

Les exercices illustrent des exemples de mots étrangers francisés. Il en existe d'autres, que nous n'avons pas nommés.

La formation du singulier et du pluriel des mots empruntés étant devenue régulière, vous n'avez plus à utiliser des pluriels irréguliers comme *des barmen, des bravi, des conquistadores, des jazzmen, des lobbies, des lunches, des matches, des misses, des ranches, des sandwiches, des soprani*; des mots comme *varia, média, ravioli, spaghetti, macaroni* et *scampi* sont maintenant possibles au singulier; les mots *curriculum, crescendo* ne sont plus invariables; etc.

Interrogations et curiosités

✪ **Si l'on trouve jolies et savantes les formes plurielles traditionnelles *des stimuli*, *des impresarii* (au lieu des formes modernes *des stimulus*, *des imprésarios*), peut-on encore les utiliser aujourd'hui?**

Réponse. Oui, puisque les graphies anciennes restent admises. Mais de moins en moins de personnes utiliseront ces pluriels étrangers, et vous ne pouvez pas, par exemple, forcer un élève à employer de telles formations plurielles irrégulières en français. Cela dit, rien ne vous empêche d'étaler vos connaissances des langues étrangères s'il vous plait de refuser la francisation de ces termes dans vos propres textes. Dans ce cas, vous devez mettre les termes concernés en caractères italiques, puisque vous considérez qu'ils n'ont pas été francisés.

✪ **En latin, *minima* et *maxima* étaient des mots exclusivement pluriels. Leur forme au singulier était *minimum* et *maximum*. Comment peut-on concevoir maintenant que l'on puisse dire *un minima* et *un maxima*? Cela semble incompatible puisque le mot est pluriel en latin. Ne devrait-on pas dire obligatoirement *un minimum* et *un maximum*?**

Réponse. Minima et *maxima* sont en effet pluriels *en latin*. Mais nous écrivons en français… et non en latin. Les rectifications ont conservé la forme la plus courante des mots étrangers. Par exemple, on utilise en français le mot bien connu *scénario* (du singulier *scenario* en italien) plutôt que le mot *scenarii* (son pluriel en italien) : on écrit *un scénario* et *des scénarios*. Par contre, la forme *macaroni* (plurielle en italien) est beaucoup plus connue par les francophones que sa forme italienne au singulier *macarone*. On a donc choisi d'écrire en français *un macaroni* (et non *un macarone*), et *des macaronis* (pluriel francisé avec *s*).

Qu'en est-il pour *minimum/minima* et *maximum/maxima*? Comme les francophones des générations précédentes étaient assez familiers avec ces quatre formes latines, il aurait été malvenu de trancher entre elles. En conséquence, il est permis d'utiliser les formes plurielles *des minimums, des maximums*, régulières selon les règles du français et déjà bien implantées dans l'usage, mais il est permis aussi d'utiliser la francisation singulière *un minima*, *un maxima* (comme on l'a d'ailleurs fait dans *un média*, *un addenda*). Puisque les rectifications modifient l'*orthographe* et non la *langue*, on conserve, en toute logique, des expressions consacrées comme *le minima social* (pluriel : *les minimas sociaux*).

۞ Les formes suivantes existent en nouvelle orthographe : *un erratum, des erratums, un errata, des erratas*. Y a-t-il une différence de sens entre *un erratum* et *un errata*?

Réponse. Oui. Beaucoup de gens étaient influencés par l'ancienne orthographe, selon laquelle on préférait souvent le singulier et le pluriel de la langue d'origine. Ils utilisaient pour cette raison un seul mot (*erratum* au singulier, *errata* au pluriel) pour désigner la feuille sur laquelle étaient recensées une ou plusieurs erreurs. Or, *erratum* et *errata* sont en français deux mots différents, qu'une subtile nuance oppose : un *erratum* est une fiche sur laquelle n'est mentionnée qu'une seule erreur, alors que plusieurs erreurs sont signalées sur un *errata*. En nouvelle orthographe, il n'y a plus de doute possible et tout est transparent, puisque l'on a deux mots bien différenciés : *un erratum* est une fiche où est indiquée une seule erreur, *des erratums* (pluriel de *un erratum*) sont plusieurs fiches où une seule erreur est reportée chaque fois; *un errata* est une fiche où sont mentionnées plusieurs erreurs, *des erratas* (pluriel de *un errata*) sont plusieurs fiches où sont indiquées chaque fois plusieurs erreurs.

۞ Est-ce vrai qu'il est permis maintenant de dire et d'écrire *cheval* avec un *s* ?

Réponse. Non, c'est faux. Le pluriel du mot *cheval* n'a pas été modifié, malgré une rumeur qui prétend le contraire et que certains ont fait courir. L'origine de cette fausse rumeur pourrait se trouver dans un poème de Michel Garneau, tiré du recueil *Les petits chevals amoureux*, qui fait rimer plusieurs fois «chevals» avec «animals», par licence poétique... Cette façon d'écrire et de parler n'est pas admise en français.

Notez que, en nouvelle orthographe, le pluriel a été régularisé dans les noms composés et les mots étrangers seulement, ce qui n'est aucunement le cas de *cheval*. On écrit bel et bien toujours *des chevaux.*

Justifications

Traditionnellement, les mots d'emprunt adoptent une orthographe plus respectueuse du système graphique français après quelque temps. Ainsi, *redingote*, apparu dans notre langue dans la première moitié du XVIIIe siècle, a-t-il gardé à cette époque sa graphie anglaise, *riding-coat*, avant de se franciser.

Avec la nouvelle règle, les rectifications clarifient les choses ; du même coup, elles recommandent des formes du singulier et du pluriel (comme *des spaghettis*, *des jazzmans*...) déjà familières à la plupart des francophones, et rétablissent des distinctions utiles (voir, ci-dessus, le paragraphe traitant des mots *errata* et *erratum*).

Les accents et le tréma

Les rectifications orthographiques ont simplifié l'emploi des accents et du tréma.

▶ Elles suppriment l'accent circonflexe sur les lettres *i* et *u*. Exemples : *maitresse, bruler.*

▶ Elles généralisent la règle selon laquelle on utilise è (et non é) devant une syllabe contenant le son «e» (ou «e muet»). Exemples : *je cèderai, il sècherait, évènement, règlementaire.*

▶ Les mots empruntés sont accentués comme les mots français. Exemples : *référendum, révolver.*

▶ Le tréma est utilisé de façon plus cohérente. Exemples : *(une voix) aigüe, ambigüité, gageüre.*

Accent circonflexe

Règle

L'accent circonflexe disparait sur les lettres *i* et *u*.

une boite (plutôt que *une boîte*)
elle brule (plutôt que *elle brûle*)
s'il vous plait (plutôt que *s'il vous plaît*)

EXCEPTIONS

Font exception, pour des raisons pleinement justifiées :

1. *dû, mûr* et *sûr*, qui conservent leur accent au masculin singulier, pour éviter la confusion avec *du, mur, sur*;

2. *jeûne(s)* (*je jeûne, tu jeûnes, elle jeûne, un jeûne, des jeûnes*), que l'on distingue de *jeune(s)* (*un jeune, des jeunes*);

3. les formes du verbe *croitre* qui pourraient être confondues avec celles du verbe *croire* si elles ne portaient pas d'accent circonflexe (exemples : *je croîs, il croît, ils crûrent*; mais *croitre, je croitrai, il croitra*);

4. les terminaisons verbales du passé simple avec *nous* et *vous* (*nous vîmes, vous fûtes*), et celles du subjonctif imparfait et plus-que-parfait (*qu'il partît, qu'il eût voulu*).

Exercices (niveau 1)

❶ COMMENT ÉCRIVAIT-ON LES MOTS SUIVANTS VERS 1950 ?

❑ *épitre* ou ❑ *épître*

❑ *chapitre* ou ❑ *chapître*

❑ *pupitre* ou ❑ *pupître*

❑ *abime* ou ❑ *abîme*

❑ *cime* ou ❑ *cîme*

❑ *dument* ou ❑ *dûment*

❑ *assidument* ou ❑ *assidûment*

❑ *éperdument* ou ❑ *éperdûment*

❑ *égout* ou ❑ *égoût*

❑ *dégout* ou ❑ *dégoût*

❑ *toit* ou ❑ *toît*

❑ *naitrait* ou ❑ *naîtrait* ou ❑ *naitraît* ou ❑ *naîtraît*

ET COMMENT ÉCRIT-ON LES MOTS SUIVANTS EN NOUVELLE ORTHOGRAPHE ?

❑ *épitre* ou ❑ *épître*

❑ *chapitre* ou ❑ *chapître*

❑ *pupitre* ou ❑ *pupître*

❑ *abime* ou ❑ *abîme*

❑ *cime* ou ❑ *cîme*

❑ *dument* ou ❑ *dûment*

❑ *assidument* ou ❑ *assidûment*

❑ *éperdument* ou ❑ *éperdûment*

❑ *égout* ou ❑ *égoût*

❑ *dégout* ou ❑ *dégoût*

❑ *toit* ou ❑ *toît*

❑ *naitrait* ou ❑ *naîtrait* ou ❑ *naitraît* ou ❑ *naîtraît*

❷ ÉCRIVEZ LES MOTS SUIVANTS EN NOUVELLE ORTHOGRAPHE.

aînée : _____

août : _____

brûlure : _____

chaîne : _____

coûteux : _____

disparaître : _____

flûte : _____

île : _____

goût : _____

impôt : _____

maîtriser : _____

âme : _____

Réponses (niveau 1)

① Au milieu du XXe siècle, on écrivait : *épître, chapitre, pupitre, abîme, cime, dûment, assidûment, éperdument, égout, dégoût, toit, naîtrait.* En nouvelle orthographe, on écrit : *épitre, chapitre, pupitre, abime, cime, dument, assidument, éperdument, égout, dégout, toit, naitrait.*

À cette époque, il fallait connaitre par cœur les endroits où un accent circonflexe était requis sur *i* ou *u*, retenir de longues listes de mots : il n'y avait pas de règle unique. En nouvelle orthographe, plus aucun de ces mots ne prend d'accent circonflexe.

② *Ainée; aout; brulure; chaine; couteux; disparaitre; flute; ile; gout; impôt; maitriser; âme.*

Il suffisait d'enlever l'accent circonflexe sur les *i* et les *u*.

Comme les *â, ê* et *ô* ne sont pas touchés par les rectifications, on continue d'utiliser l'accent circonflexe sur *a, e* et *o* lorsqu'il est requis, par exemple dans des mots comme *âme, impôt* ou encore *fenêtre.*

Exercices (niveau 2)

❶ *COMPLÉTEZ LES PHRASES PAR LES FORMES PROPOSÉES. UTILISEZ LA NOUVELLE ORTHOGRAPHE ET FAITES LES ACCORDS REQUIS.*

(*Paraitre* à l'indicatif présent.)

Il _____ que Marielle est très sportive.

(*Plaire* au conditionnel présent.)

Jocelyn _____ à beaucoup de jeunes filles.

(*Frais.*)

Je mange du piment _____ et de la laitue

_____.

(*Couter* à l'indicatif présent.)

Mon violon _____ plus cher que ta flute traversière.

(*Croitre* à l'indicatif présent.)

Véronique croit que son enfant _____ en beauté et en sagesse.

(*Croitre* à l'indicatif présent.)

Tu crois que je _____ en beauté et en sagesse.

(*Croitre* au futur simple.)

Grâce à son éducation, il _____ en beauté et en sagesse.

(*Croitre* au participe passé.)

Tu as cru que j'avais _____ en beauté et en sagesse.

(*Décroitre* à l'indicatif présent.)

Son revenu _____ depuis deux ans.

(*Suivre* au passé simple.)

Il chercha le loup et _____ ses traces.

(*Suivre* au passé simple.)

Nous cherchâmes le loup et nous _____ ses traces.

(*Suivre* au subjonctif imparfait.)

Il aurait fallu qu'elle cherchât le loup et qu'elle _____ ses traces.

❷ **COMPLÉTEZ LES PHRASES PAR LES FORMES PROPOSÉES. UTILISEZ LA NOUVELLE ORTHOGRAPHE ET FAITES LES ACCORDS REQUIS.**

(*Avoir* au passé simple.)

Elle se maria et _____ beaucoup d'enfants.

(*Avoir* au passé simple.)

Vous vous mariâtes et vous _____ beaucoup d'enfants.

(*Avoir* au subjonctif imparfait.)

Il aurait fallu qu'elle se mariât et qu'elle _____ beaucoup d'enfants.

(*Jeune/jeûne* ou *jeuner*.)

Cette _____ [adjectif] femme à jeun ne mange pas : elle _____ [verbe à l'indicatif présent] et elle _____ [verbe au futur simple] encore demain.

(*Jeune/jeûne* ou *jeuner*.)

Ces _____ [adjectif] hommes ne mangent pas : ils _____ [verbe à l'indicatif présent] et ne prendront pas de déjeuner. Et toi, _____ [verbe à l'indicatif présent]-tu? Moi, je n'ai pas le gout de _____ [verbe à l'infinitif].

(*Du* ou *dû*.)

Vous devez verser le premier jour _____ mois le montant _____ pour le loyer, les montants _____ pour les deux nouveaux tapis et les sommes _____ pour les réparations.

(*Du* ou *dû*.)

J'ai _____ payer les employés _____ restaurant qui avaient fait _____ travail supplémentaire et remettre à chacun son _____.

(*Sur* ou *sûr*.)

Mon frère est _____ d'avoir laissé _____ la table le citron _____ qu'il souhaitait utiliser dans sa recette.

(*Sur* ou *sûr*.)

Ma sœur Évelyne est _____ d'avoir laissé _____ la table la crème _____ qu'elle souhaitait utiliser dans sa recette.

(*Sur* ou *sûr*.)

Ces fruits ont un gout aigre : ils sont _____. Bien _____, vous pouvez les manger. Vous les trouverez surement très bons. Mais soyez _____ vos gardes : pour plus de sureté, assurez-vous de les manger avant la fin de la semaine. Sinon, les personnes qui y gouteront peuvent être _____ d'être souffrantes dans l'heure qui suivra.

(*Mur* ou *mûr* ou *mure*.)

Il a lancé ce fruit _____ sur le seul _____ de la cuisine peint en blanc. Quel dégât! Je crois qu'il s'agissait d'une framboise ou d'une _____.

(*Mur* ou *mûr*.)

Nous avons lancé des tomates _____ sur les deux seuls

_____ de la cuisine peints en blanc. Après

_____ réflexion, nous avons convenu de les repeindre.

Réponses (niveau 2)

① Il *parait* que Marielle est très sportive. – Jocelyn *plait* à beaucoup de jeunes filles. – Je mange du piment *frais* et de la laitue *fraiche*. – Mon violon *coute* plus cher que ta flute traversière. – Véronique croit que son enfant *croît* en beauté et en sagesse. – Tu crois que je *croîs* en beauté et en sagesse. – Grâce à son éducation, il *croitra* en beauté et en sagesse. – Tu as cru que j'avais *crû* en beauté et en sagesse. – Son revenu *décroit* depuis deux ans. – Il chercha le loup et il *suivit* ses traces. – Nous cherchâmes le loup et nous *suivîmes* ses traces. – Il aurait fallu qu'elle cherchât le loup et qu'elle *suivît* ses traces.

> Pour distinguer le verbe *croitre* du verbe *croire*, on continue d'utiliser l'accent circonflexe lorsqu'une confusion serait autrement possible (*je croîs/je crois*). À l'infinitif, au futur et au conditionnel, notamment, il n'y a pas de risque de confusion : l'accent circonflexe est donc supprimé.

> Bien que l'on continue d'écrire *il croît* (verbe *croitre*) pour éviter la confusion avec *il croit* (verbe *croire*), l'accent circonflexe disparait en nouvelle orthographe sur *il décroit*, puisque cette dernière forme ne peut être confondue avec aucune autre. Il en va ainsi pour toutes les formes conjuguées de *décroitre*.

> En orthographe nouvelle comme en ancienne, on écrit sans accent au passé simple *elle fut, il eut, elle dut, il suivit* : cela n'a rien de nouveau. Ce n'est qu'au pluriel avec *nous* et *vous* qu'il y avait et qu'il y a encore un accent circonflexe (rien n'a changé), afin de respecter la similitude de l'accent dans la conjugaison de tous les verbes : *nous cherchâmes, nous suivîmes, nous eûmes, vous fûtes, vous sortîtes, vous me plûtes…*

> De même, l'accent circonflexe existait et existe toujours dans les terminaisons du subjonctif imparfait et plus-que-parfait.

② Elle se maria et *eut* beaucoup d'enfants. – Vous vous mariâtes et vous *eûtes* beaucoup d'enfants. – Il aurait fallu qu'elle se mariât et qu'elle *eût* beaucoup d'enfants. – Cette *jeune* femme à jeun ne mange pas : elle *jeûne* et elle *jeunera* encore demain. – Ces *jeunes* hommes ne mangent pas : ils *jeunent* et ils ne prendront pas de déjeuner demain. Et toi, *jeûnes-tu* ? Moi, je n'ai pas le gout de *jeuner*. – Vous devez verser le premier jour *du* mois le montant *dû* pour le loyer, les montants *dus* pour les deux nouveaux tapis et les sommes *dues* pour les réparations. – J'ai *dû* payer les employés *du* restaurant qui avaient fait *du* travail supplémentaire et remettre à chacun son *dû*. – Mon frère est *sûr* d'avoir laissé *sur* la table le citron *sur* qu'il souhaitait utiliser dans sa recette. – Ma sœur Évelyne est *sure* d'avoir laissé *sur* la table la crème *sure* qu'elle souhaitait utiliser dans sa recette. – Ces fruits ont un gout aigre : ils sont *surs*. Bien *sûr*, vous pouvez les manger. Vous les trouverez surement très bons. Mais soyez *sur* vos gardes : pour plus de sureté, assurez-vous de les manger avant la fin de la semaine. Sinon, les personnes qui y gouteront peuvent être *sures* d'être souffrantes dans l'heure qui suivra. – Il a lancé ce fruit *mûr* sur le seul *mur* de la cuisine qui est peint en blanc. Quel dégât ! Je crois qu'il s'agissait d'une framboise ou d'une *mure*. – Nous avons lancé des tomates *mures* sur les deux seuls *murs* de la cuisine qui étaient peints en blanc. Après *mure* réflexion, nous avons convenu de les repeindre.

Rappelez-vous ceci : il n'y a que les deux formes *jeûne* et *jeûnes* qui gardent l'accent, afin de les distinguer de *jeune* et *jeunes* (au sens de «qui n'est ou qui ne sont pas vieux»). On écrit donc *jeuner, elle jeunera, nous jeunons, ils jeunent,* mais *je jeûne, tu jeûnes, il jeûne, un jeûne, des jeûnes,* pour ne pas les confondre avec le nom ou l'adjectif *jeune(s)*.

Dû/due/dus/dues : il n'y a que la forme *dû* (participe passé masculin singulier de *devoir,* ou nom masculin singulier signifiant «ce qui est dû») qui garde l'accent circonflexe. Cette règle n'est pas nouvelle : en orthographe ancienne déjà, on écrivait *ce montant est dû, cette somme est due,* parce qu'il n'y a pas de confusion possible au féminin ou au pluriel, alors qu'une confusion avec le déterminant *du* (*du pain*) aurait été théoriquement possible au masculin singulier.

Sûr/sure/surs/sures : il n'y a que la forme *sûr* au masculin singulier (au sens de «certain») qui garde l'accent circonflexe, pour ne pas confondre ce mot avec la préposition fréquente et invariable *sur* (*sur la table*). La règle est exactement la même que celle que l'on connait depuis longtemps avec *dû,* ce qui simplifie l'apprentissage de cette règle. On écrit donc *sûr* au masculin singulier, *sure* au féminin singulier, *surs* au masculin pluriel, et *sures* au féminin pluriel. Cependant, vous avez remarqué qu'il existe un troisième mot semblable, l'adjectif *sur,* qui a le sens de «acide, aigre ou peu sucré». Cet adjectif est beaucoup plus rare, sauf dans les textes culinaires. Il se retrouve dans des contextes différents de ceux où l'on emploie l'adjectif *sûr.* La distinction entre ces deux adjectifs n'est donc pas maintenue au féminin ni au pluriel, car elle n'a pas été jugée nécessaire. En effet, la distinction n'est pas plus nécessaire qu'entre, par exemple, *brillante* dans *une femme brillante* (où *brillante* signifie «intelligente») et ce même mot dans *une assiette brillante* (où *brillante* a le sens de «qui luit avec intensité»).

Mûr/mure/murs/mures : pour l'adjectif, il n'y a que la forme *mûr* au masculin singulier («qui a atteint la maturité») qui garde l'accent circonflexe. La règle est exactement la même que celle que l'on connait depuis longtemps avec *dû*, ce qui simplifie l'apprentissage de cette règle. On écrit donc *mûr* au masculin singulier, *mure* au féminin singulier, *murs* au masculin pluriel, et *mures* au féminin pluriel. En ce qui concerne le nom féminin *mure* («petit fruit des champs»), l'accent circonflexe est supprimé aussi bien au singulier qu'au pluriel. Remarquez qu'en ancienne orthographe, le nom du fruit et l'adjectif féminin avaient les mêmes formes (*mûre, mûres*) : en nouvelle orthographe aussi (maintenant *mure* au singulier, *mures* au pluriel).

Tour d'horizon

On peut dire que l'emploi de l'accent circonflexe sur *i* et *u* est simple : il suffit d'abord de connaitre les quatre exceptions *dû, mûr, sûr, jeûne(s)*, d'écrire avec un accent les conjugaisons de *croitre* qui se confondent avec celles de *croire*, et finalement de savoir bien conjuguer au passé simple et au subjonctif imparfait au besoin. C'est tout !

On écrit donc *une ile, de la bière ou du vin en fut, une piqure*, tout simplement. Fini le temps où il fallait retenir plus d'une centaine de mots contenant *î* ou *û*. Il était temps que le ménage soit fait...

Interrogations et curiosités

☺ **Quelles sont les formes de *croitre* qui doivent prendre un accent circonflexe pour ne pas être confondues avec celles de *croire* ?**

Réponse. Il s'agit des formes suivantes.

Indicatif présent : *je croîs, tu croîs, il croît.*

Impératif présent : *croîs.*

Passé simple : *je crûs, tu crûs, il crût, nous crûmes, vous crûtes, ils crûrent.*

Subjonctif imparfait : *que je crûsse, que tu crûsses, qu'elle crût, que nous crûssions, que vous crûssiez, qu'ils crûssent.*

Euphonie verbale : *crûssè-je.*

Participe passé : *crû.*

Si l'on écrivait toutes les formes ci-dessus sans accent circonflexe, le sens du verbe changerait : il s'agirait alors de la conjugaison du verbe *croire*. C'est pour maintenir la distinction entre ces deux verbes que l'on met un accent circonflexe à l'écrit dans ces conjugaisons de *croitre*.

○ **Pourquoi** *mûr* **et** *sûr* **font-ils exception uniquement au masculin singulier? Il y a pourtant un risque de confusion de sens, que l'on évitait en orthographe traditionnelle grâce à l'accent dans les paires** *sure/sûre, surs/sûrs, sures/sûres, murs/mûrs.*

Réponse. Déjà, en ancienne orthographe, l'accent circonflexe de *dû* n'existait qu'au masculin singulier. Cette règle n'est donc pas nouvelle pour ce mot. L'accent ayant un rôle distinctif, il est utile uniquement au masculin singulier puisqu'il n'y a pas de confusion possible au féminin ou au pluriel : il n'existe pas d'autres mots *due* ou *dus* avec lesquels le participe passé du verbe *devoir* pourrait se confondre. Cependant, au masculin singulier, il y aurait homographie avec le déterminant *du* (*du pain*) si l'on oubliait l'accent sur le participe passé du verbe *devoir* (*dû*).

Dans le cas de *mûr* et de *sûr*, la nouvelle orthographe applique exactement la même règle. On maintient l'accent uniquement sur *sûr* au masculin singulier (au sens de « certain ») et sur *mûr* au masculin singulier (au sens de « qui a atteint la maturité »). Cet accent permet de conserver la distinction entre *sûr* et la préposition fréquente *sur* (*sur la table*), et entre *mûr* et le nom masculin singulier *mur* signifiant « cloison ou écran ». Ne cherchez pas d'autres nuances ou d'autres distinctions : seuls *dû*, *mûr* et *sûr* au masculin singulier gardent l'accent. On écrit donc au féminin singulier *due*, *mure*, *sure*, au féminin pluriel *dues*, *mures*, *sures*, et au masculin pluriel *dus*, *murs*, *surs*. Les distinctions au féminin et au pluriel n'ont pas été jugées essentielles.

○ **Tous les Benoît vont-ils devenir des Benoit? Et** *Nîmes* **perd-il son accent?**

Réponse. Non : peu importe sur quelle règle on se trouve dans les rectifications orthographiques, il est toujours entendu que les noms propres ne sont pas touchés. Cela dit, le prénom Benoit (sans accent) existe déjà, et rien n'empêche un Benoît de faire une demande volontaire à l'état civil en vue d'une simplification de l'orthographe de son prénom. Les nouveaux parents, pour leur part, peuvent choisir de ne pas propager les accents circonflexes chez les prochaines générations, en préférant dès la naissance la graphie sans accent sur *i*.

Quant à *Nîmes*, l'orthographe de ce nom de ville n'a pas changé, pas plus que celle des dérivés : *les Nîmois et les Nîmoises, un restaurant nîmois,* etc.

Justifications

L'emploi de l'accent circonflexe est l'une des plus grandes sources d'erreurs en français. Mais, surtout, son emploi incohérent et arbitraire empêche tout enseignement systématique ou historique. La justification qui fait référence à l'étymologie est particulièrement hasardeuse : ainsi, l'opinion communément répandue veut qu'un *s* disparu soit remplacé par un accent circonflexe... Pourtant, la disparition d'un *s* n'empêche pas que l'on écrive *mouche, moite, moutarde* (en anglais *mustard*) sans accent... et, à l'inverse, l'accent circonflexe du mot *extrême* n'admet aucune justification.

Une bonne solution aurait été de supprimer l'accent circonflexe non seulement sur *i* et *u*, mais aussi sur *a* et *o*, et de le remplacer par l'accent grave ou par l'accent aigu sur *e*. L'usage de l'accent circonflexe pour noter une prononciation est en effet loin d'être cohérent : comparez *rafler* et *râler*, *zone* et *cône*. Quoi qu'il en soit, même si certains locuteurs perçoivent une différente phonétique entre *a* et *â*, *o* et *ô*, *è* ou *é* et *ê*, ces oppositions n'ont pas de réalité sur les voyelles *i* et *u* (comparez *je connais* et *il connaît*, *cime* et *abîme*, *ruche* et *bûche*). Même si, dans certaines régions, les gens ne prononcent pas de la même manière *mettre* et *maître*, la conservation de l'accent n'est pas justifiée : certains usagers, de ces régions ou d'ailleurs, prononcent aussi différemment *maître* et *maîtresse*, qui portent pourtant tous deux un accent en ancienne orthographe...

Bref, il ne fait aucun doute que la solution retenue est parfaitement justifiée et raisonnable ; la suppression de l'accent circonflexe sur les *i* et les *u* seulement limite le nombre de mots concernés, évitant ainsi tout bouleversement.

◈

Futur et conditionnel

Règle

Les formes conjuguées des verbes du type *céder* s'écrivent avec un accent grave (é devient è) au futur et au conditionnel.

je cèderai (plutôt que *je céderai*)
nous règlerons (plutôt que *nous réglerons*)
elles sècheraient (plutôt que *elles sécheraient*)

Exercices (niveau 1)

❶ *CONJUGUEZ LES VERBES SUIVANTS AU FUTUR SIMPLE.*

Céder : je _____

Régler : je _____

Insérer : tu _____

Sécher : tu _____

Opérer : elle _____

Répéter : il _____

Modérer : nous _____

Exagérer : nous _____

Inquiéter : vous _____

Compléter : vous _____

Récupérer : ils _____

Considérer : elles _____

❷ **CONJUGUEZ LES VERBES SUIVANTS AU CONDITIONNEL PRÉSENT.**

Régner : je _____

Lécher : je _____

Tolérer : tu _____

Digérer : tu _____

Repérer : il _____

Espérer : elle _____

Célébrer : nous _____

Posséder : nous _____

Coopérer : vous _____

Interpréter : vous _____

Désintégrer : elles _____

Chronométrer : ils _____

Réponses (niveau 1)

① *Je cèderai; je règlerai; tu insèreras; tu sècheras; elle opèrera; il répètera; nous modèrerons; nous exagèrerons; vous inquièterez; vous complèterez; ils récupèreront; elles considèreront.*

② *Je règnerai; je lècherai; tu tolèreras; tu digèreras; il repèrera; elle espèrera; nous célèbrerons; nous possèderons; vous coopèrerez; vous interprèterez; elles désintègreront; ils chronomètreront.*

Il suffisait de changer le *é* de l'avant-dernière syllabe de l'infinitif en *è*. Si vous avez eu d'autres types d'erreurs dans vos conjugaisons, vos difficultés ne relèvent pas de la nouvelle orthographe.

Exercices (niveau 2)

❶ **CONJUGUEZ LES VERBES SUIVANTS AU FUTUR SIMPLE.**

Libérer : je _____

Référer : je _____

Alléger : tu _____

Altérer : tu _____

Abréger : il _____

Adhérer : elle _____

Incinérer : nous _____

Déléguer : nous _____

Accélérer : vous _____

Énumérer : vous _____

Déblatérer : elles _____

Dessécher : ils _____

❷ CONJUGUEZ LES VERBES SUIVANTS AU CONDITIONNEL PRÉSENT.

Piéger : je _____

Végéter : je _____

Refléter : tu _____

Excéder : tu _____

Générer : elle _____

Assiéger : il _____

Imprégner : nous _____

Intercéder : nous _____

Désaltérer : vous _____

Incarcérer : vous _____

Rémunérer : ils _____

Désagréger : elles _____

Réponses (niveau 2)

① *Je libèrerai ; je référerai ; tu allègeras ; tu altèreras ; il abrègera ; elle adhèrera ; nous incinèrerons ; nous délèguerons ; vous accélèrerez ; vous énumèrerez ; elles déblatèreront ; ils dessècheront.*

② *Je piègerais ; je végèterais ; tu reflèterais ; tu excèderais ; elle génèrerait ; il assiègerait ; nous imprègnerions ; nous intercèderions ; vous désaltèreriez ; vous incarcèreriez ; ils rémunèreraient ; elles désagrègeraient.*

Il suffisait de changer le *é* de l'avant-dernière syllabe de l'infinitif en *è*. Si vous avez eu d'autres types d'erreurs dans vos conjugaisons, vos difficultés ne relèvent pas de la nouvelle orthographe.

Tour d'horizon

Nous ne donnerons pas la liste complète des verbes de type *céder* (avec é à l'avant-dernière syllabe de l'infinitif) : vous avez vu les plus fréquents dans les exercices. Il y a plus de cent verbes de ce type. Ils prennent tous l'accent grave (è) au futur et au conditionnel.

Remarque. Les verbes en -*éer*, comme *créer* (*agréer*, *maugréer*, *procréer*, *suppléer*...), ne sont pas concernés par cette règle. Ils étaient des verbes réguliers et le sont toujours.

Interrogations et curiosités

❂ **Doit-on écrire *accélérera*, *accélèrera*, *accèlérera* ou *accèlèrera* ?**

Réponse. On écrit *accélèrera*. La première chose à vérifier est la forme correcte de l'infinitif. Le verbe à l'infinitif s'écrit : *accélérer*. Dans les conjugaisons du futur et du conditionnel de ce genre de verbe, les rectifications orthographiques affectent seulement le é de l'avant-dernière syllabe de l'infinitif (*ac-cé-lé-rer*). C'est uniquement ce é qui se change en è. Aucune autre lettre du radical ne doit être modifiée.

❂ **Le futur et le conditionnel de verbes comme *céder* ont été touchés par les rectifications orthographiques : é devient è. Mais y a-t-il eu de telles modifications à d'autres temps et pour d'autres verbes ?**

Réponse. Oui : les inversions interrogatives avec -*je* sont également touchées par les rectifications orthographiques. On écrit *aimè-je* avec un accent grave maintenant.

Pourquoi ? Parce que -*je* est également un contexte où l'on trouve une syllabe graphique contenant un e dit instable ou muet. La prononciation de la voyelle de la syllabe qui précède -*je* est donc « è » et non « é », comme c'est le cas dans *collège*, *manège* ou *piège*. Le contexte des inversions interrogatives avec -*je* est le seul autre cas de conjugaison où l'accent aigu a été modifié par les rectifications. Et, à vrai dire, il est très rare que l'on utilise cette forme euphonique[*].

Justifications

Prenons deux verbes : *régler* et *célébrer*. Parmi les conjugaisons de ces verbes, on trouve entre autres *je règle*, *je célèbre*. Il existe aussi des mots de la même famille : *règle* (*une règle millimétrée*), *célèbre* (*un chanteur célèbre*).

Découpons en syllabes tous ces mots :

---

[*] Se dit d'une forme qui produit une harmonie des sons qui se succèdent.

ré-gler	*cé-lé-brer*
ré-glons	*cé-lé-brait*
rè-gle	*cé-lè-bre*
rè-gle-rons	*cé-lè-bre-rait*

Que remarquons-nous? Chaque fois qu'un *é* se trouve devant une syllabe graphique contenant un **e instable** (on l'appelle plus souvent « e muet »), ce *é* devient **è**. C'est la façon habituelle de prononcer de telles syllabes en français depuis trois-cents ans. L'ancienne façon d'écrire la conjugaison du futur et du conditionnel de verbes comme *céder* en conservant l'accent aigu était une exception au fonctionnement habituel du français et n'a plus de raison d'être. Maintenant, on écrit *célèbrerait*, comme on écrit aussi d'autres types de verbes tels *lèverait*, *sèmerait* ou *achèterait*.

Autres régularisations de l'accentuation

Règles

Les mots empruntés suivent les mêmes règles d'accentuation que les mots français.

référendum (plutôt que *referendum*)
révolver (plutôt que *revolver*)

Devant une syllabe graphique contenant un e instable (dit « e muet »), on écrit è et non é. En plus du cas général des conjugaisons rectifiées vu précédemment (futur : *je cèderai*, conditionnel : *je règlerais*, inversion : *aimè-je ?*), **un certain nombre de mots particuliers ont aussi été modifiés.**

évènement (plutôt que *événement*)
règlementaire (plutôt que *réglementaire*)

EXCEPTIONS

En raison de leur prononciation normée en syllabe initiale, on ne modifie pas :

– les préfixes *dé-* et *pré-* (exemples : *dégeler*, *prévenir*) ;

– les *é-* initiaux (exemples : *échelon*, *édredon*, *élever*) ;

– *médecin* et *médecine*.

Exercices (niveau 1)

❶ CHOISISSEZ LA GRAPHIE LA PLUS FRANCISÉE, CELLE QUI DÉCOULE DE LA NOUVELLE ORTHOGRAPHE.

❑ *a priori* ou ❑ *à priori*

❑ *beluga* ou ❑ *béluga*

❑ *bolchevique* ou ❑ *bolchévique*

❑ *cafeteria/caféteria* ou ❑ *cafétéria*

❑ *diesel* ou ❑ *diésel*

❑ *ego* ou ❑ *égo*

❑ *media* ou ❑ *média*

❑ *pizzeria* ou ❑ *pizzéria*

❑ *placebo* ou ❑ *placébo*

❑ *revolver* ou ❑ *révolver*

❑ *tequila* ou ❑ *téquila*

❑ *veto* ou ❑ *véto*

❷ QUELLE EST LA GRAPHIE RECTIFIÉE ?

❑ *allégrement* ou ❑ *allègrement*

❑ *asséchement* ou ❑ *assèchement*

❑ *céleri* ou ❑ *cèleri*

❑ *crémerie* ou ❑ *crèmerie*

❑ *déréglementation* ou ❑ *dérèglementation*

❑ *empiétement* ou ❑ *empiètement*

❑ *événement* ou ❑ *évènement*

❑ *hébétement* ou ❑ *hébètement*

❑ *pécheresse* ou ❑ *pècheresse*

❑ *réglementaire* ou ❑ *règlementaire*

❑ *réglementer* ou ❑ *règlementer*

❑ *sécheresse* ou ❑ *sècheresse*

Réponses (niveau 1)

① *À priori; béluga; bolchévique; cafétéria; diésel; égo; média; pizzéria; placébo; révolver; téquila; véto.*

On ajoute un accent grave dans la locution *à priori* (de même : *à postériori, à contrario*, etc.). C'est plus naturel en français, car le *a* latin a valeur de préposition; il ne s'agit pas du *a* sans accent du verbe *avoir* ni du préfixe privatif que l'on retrouve dans *asocial*. Par ailleurs, il ne faut pas confondre cette locution *à priori* et le nom *un apriori* («préjugé»), qui, lui, a été soudé et a un pluriel régulier (*des aprioris*).

Vous connaissez probablement bon nombre de ces mots sous leur forme francisée depuis un certain temps, ce qui montre que vous aviez déjà été en contact avec la nouvelle orthographe sans même vous en être rendu compte… et même avant qu'elle n'existe!

② *Allègrement; assèchement; cèleri; crèmerie; dérèglementation; empiètement; évènement; hébètement; pècheresse; règlementaire; règlementer; sècheresse.*

Exercices (niveau 2)

❶ **CHOISISSEZ LA GRAPHIE LA PLUS FRANCISÉE, CELLE QUI DÉCOULE DE LA NOUVELLE ORTHOGRAPHE.**

❑ *a capella* ou ❑ *à capella*

❑ *allegro* ou ❑ *allégro*

❑ *a posteriori* ou ❑ *à postériori*

❑ *guerillero/guérillero* ou ❑ *guérilléro*

❑ *in extremis* ou ❑ *in extrémis*

❑ *linoleum* ou ❑ *linoléum*

❑ *memorandum* ou ❑ *mémorandum*

❑ *peso* ou ❑ *péso*

❑ *referendum* ou ❑ *référendum*

❑ *sequoia* ou ❑ *séquoia*

❑ *sombrero* ou ❑ *sombréro*

❑ *speculum* ou ❑ *spéculum*

❷ **CHOISISSEZ LA GRAPHIE EN VIGUEUR AUJOURD'HUI, EN TENANT COMPTE DES RECTIFICATIONS ORTHOGRAPHIQUES S'IL Y A LIEU.**

❑ *abrégement* ou ❑ *abrègement*

❑ *allégement* ou ❑ *allègement*

❑ *complétement* ou ❑ *complètement*

❑ *déréglementer* ou ❑ *dérèglementer*

❑ *édredon* ou ❑ *èdredon*

❑ *élever* ou ❑ *èlever*

❑ *événementiel* ou ❑ *évènementiel*

❑ *médecine* ou ❑ *mèdecine*

❑ *péquenaud/péquenot* ou ❑ *pèquenaud/pèquenot*

❑ *prévenir* ou ❑ *prèvenir*

❑ *réglementation* ou ❑ *règlementation*

❑ *rempiétement* ou ❑ *rempiètement*

Réponses (niveau 2)

① *À capella; allégro; à postériori; guérilléro; in extrémis; linoléum; mémorandum; péso; référendum; séquoia; sombréro; spéculum.*

② *Abrègement; allègement; complètement; dérèglementer; édredon; élever; évènementiel; médecine; pèquenaud/pèquenot; prévenir; règlementation; rempiètement.*

> Attention. On continue d'écrire *édredon, élever, médecin* et *prévenir.* Rappelez-vous : même si généralement devant une syllabe graphique contenant un *e* instable (dit «*e* muet») on écrit *è* et non *é*, on ne le fait pas pour les préfixes, pour les *é-* initiaux, ainsi que pour *médecin* et *médecine.*

Tour d'horizon

On écrit depuis de nombreuses années *cafétéria, média* ou *référendum* avec des accents aigus, et *évènement* avec un accent grave devant la syllabe muette. Seuls ceux qui n'avaient pas ouvert un dictionnaire récent pensaient encore que *évènement* constituait une faute : c'est ce qu'ils avaient appris jadis, et ils n'avaient pas encore vu que cette graphie figure dans tous les dictionnaires depuis plus d'une décennie.

Voici d'autres mots étrangers qui suivent maintenant les règles d'accentuation du français : *artéfact, chichkébab, crédo, édelweiss, etcétéra, imprésario, jamborée, markéting, mass média, mémento, pédigrée, pérestroïka, péséta, piéta, réflex* (terme anglais en photo), *sélect* et *sélecte* (adjectif), *sénior* et *séniore, séniorita* (petit cigare), *trémolo, toréro, vadémécum, vélum, vocéro, zarzuéla.* Nous pourrions donner encore des dizaines d'autres exemples de mots francisés, plus rares.

Vous avez vu dans les exercices les exemples les plus fréquents des mots qui prennent dorénavant un accent grave comme dans *évènement.* En voici d'autres, plus rares, que vous n'aurez probablement jamais à écrire : *affèterie, bèqueter, crècerelle* (faucon), *crènelage, crènelé* et *crènelée, crèneler, crènelure, débèqueter, piètement, poètereau, rapièceter, réfrènement, règlementairement, règlementarisme, règlementariste, sècherie, sèneçon, sènevé, tèterelle, vènerie.*

Interrogation

✪ **Cette règle fait appel à la notion de e instable (dit « e muet »). Qu'est-ce qu'un e instable (dit « e muet »)? Le e (souligné) n'est pas nécessairement muet dans** *évèn**e**ment, règl**e**mentaire...*

Réponse. L'expression « e muet » n'est en effet pas très satisfaisante et porte à confusion, puisque le e en question n'est pas toujours muet... C'est pourquoi on utilise préférablement l'expression « e instable ». Un e instable est tout simplement un e écrit sans accent (ce n'est pas é ni è ni ê ni ë) qui ne s'entend pas (muet) ou qui se prononce « e » (c'est-à-dire non accentué) si on l'entend : il n'est pas le son « é » ni le son « è », et ne sert pas à former un tel son. Par exemple, les e soulignés dans les mots suivants sont des e instables, dits « e muets », alors que les e non soulignés n'en sont pas : *élèv**e**, r**e**mèd**e**, évèn**e**ment, l**e**vez, s**e**maient, germ**e**.*

Justifications

L'accentuation des mots empruntés renforce leur francisation, exactement comme la régularisation de leur singulier et de leur pluriel.

Pour ce qui est des justifications relatives à l'emploi de l'accent grave dans *évènement, règlementaire*, etc., elles sont les mêmes que celles relatives à l'emploi du même accent dans *je cèderai* (voir p. 79).

Tréma

Règles

Dans les mots écrits traditionnellement avec *-guë-* **ou** *-guï-,* **le tréma est déplacé sur la lettre** *u : -güe-* **ou** *-güi-.*

des voix aigües (plutôt que *des voix aiguës*)
ambigüité (plutôt que *ambiguïté*)

De plus, le tréma est ajouté sur le *u* **de quelques mots, pour corriger des prononciations jugées défectueuses.** Il s'agit :

– du verbe *arguer*, qui devient *argüer* (il rime avec *tuer* et non avec *narguer*);

– des mots se terminant par *-geure*, qui se terminent désormais par *-geüre* (ils riment avec *injure* et non avec *voyageur*).

argüer, j'argüe, nous argüons (plutôt que *arguer, j'argue, nous arguons*)
gageüre (plutôt que *gageure*)

Exercices (niveau 1)

❶ Déplacement du tréma. *Parmi les mots suivants, lesquels ont maintenant une autre graphie (due aux rectifications) que celle donnée ici ?*

☐ *androïde*

☐ *ciguë*

☐ *coïncidence*

☐ *contiguïté*

☐ *désambiguïser*

☐ *égoïste*

☐ *Israël*

☐ *maïs*

☐ *naïf*

☐ *Noël*

☐ *suraigüe*

☐ *thyroïde*

❷ Ajout d'un tréma. *Parmi les mots suivants, lesquels ont maintenant une autre graphie (due aux rectifications) que celle donnée ici ?*

☐ *aiguille*

☐ *j'argue*

☐ *ils argueront*

☐ *bringeure*

☐ *échangeur*

☐ *gageure*

☐ *linguistique*

☐ *mangeure*

☐ *parjure*

☐ *rongeur*

☐ *rongeure*

☐ *tapageur*

Réponses (niveau 1)

① Sont touchés par les rectifications orthographiques : *ciguë* (qui devient *cigüe*), *contiguïté* (qui devient *contigüité*), *désambiguïser* (qui devient *désambigüiser*), *suraiguë* (qui devient *suraigüe*).

Seuls les mots contenant la séquence *-guï-* ou *-guë-* subissent le déplacement du tréma. Par ailleurs, aucun nom propre n'est touché par les rectifications.

② Sont touchés par les rectifications orthographiques : *j'argue* (qui devient *j'argüe*), *ils argueront* (qui devient *ils argüeront*), *bringeure* (qui devient *bringeüre*), *gageure* (qui devient *gageüre*), *mangeure* (qui devient *mangeüre*), *rongeure* (qui devient *rongeüre*).

J'argüe rime avec *barbu* et non avec *bague*; *ils argüeront*, avec *ils tueront* et non avec *ils navigueront*.

Gageüre est probablement le seul mot bien connu dans cette liste de mots rectifiés. Vous vous êtes peut-être déjà demandé si ce mot rimait avec *voyageur* ou avec *injure*. Grâce au nouveau tréma, ce problème de prononciation au moment de la lecture ne se pose plus, le tréma indiquant clairement qu'il faut bel et bien prononcer le *u*, comme dans *injure*.

Les mots *aiguille* et *linguistique* n'ont jamais eu de tréma pour spécifier leur prononciation. Il n'y a donc pas de tréma à déplacer sur le *u*. Il n'y a pas non plus de nouveau tréma à ajouter, car seuls le verbe *argüer* et les mots se terminant par *-geüre* reçoivent un nouveau tréma.

Échangeur, rongeur, tapageur riment avec *voyageur* : il n'y a donc pas lieu de toucher à leur orthographe. Ils ne se terminent d'ailleurs pas par *-geure*.

Parjure rime avec *injure*. Il n'y a aucun problème à la lecture de ce mot, il n'y a donc aucune raison pour que les rectifications touchent un tel mot.

Connaissez-vous le sens de tous les mots de cet exercice ? Une bringeüre est une rayure sur le pelage d'un animal ; une mangeüre est une partie rongée d'un livre ou d'une étoffe, à ne pas confondre avec *mangeur* (« personne qui mange ») ; et une rongeüre est un défaut de drap, à ne pas confondre avec *rongeur* (« petit animal »).

Exercices (niveau 2)

❶ *Récrivez en nouvelle orthographe les mots ou groupes de mots dont le tréma a été déplacé.*

une note aiguë : _____

des ambiguïtés : _____

des propos ambigus : _____

coïncider : _____

des lignes contiguës : _____

désambiguïsation : _____

exiguïté : _____

laïque : _____

Gaëtan : _____

héroïque : _____

Raphaëlle : _____

subaigu : _____

❷ RÉCRIVEZ EN NOUVELLE ORTHOGRAPHE LES MOTS OU GROUPES DE MOTS AUXQUELS UN TRÉMA A ÉTÉ AJOUTÉ.

j'ai argué : _____

tu arguais : _____

en arguant : _____

il faut arguer : _____

vous arguez : _____

j'argumente : _____

envergeure : _____

gager : _____

longue : _____

longueur : _____

renvergeure : _____

vergeure : _____

Réponses (niveau 2)

① Les mots ou groupes de mots suivants ont été rectifiés comme suit : *une note aigüe, des ambigüités, des lignes contigües, désambigüisation, exigüité.*

Les graphies *ambigus* et *subaigu*, qui sont au masculin ici, ne sont pas touchées par la règle : ces mots n'ont pas et n'ont jamais eu de tréma au masculin. Ce n'est qu'au féminin qu'ils sont touchés, car on retrouve alors la suite *-guë-*, qui s'écrit dorénavant *-güe-* (*ambigüe, ambigües, subaigüe, subaigües*).

② Les mots ou groupes de mots suivants ont été rectifiés comme suit : *j'ai argüé, tu argüais, en argüant, il faut argüer, vous argüez, envergeüre, renvergeüre, vergeüre.*

J'ai argüé, il faut argüer et *vous argüez* riment avec *tué*, et non avec *nargué. Tu argüais* et *en argüant* riment avec *tu tuais, en tuant*, et non avec *tu narguais, en narguant.*

Envergeüre, renvergeüre et *vergeüre* sont des termes spécialisés et rares. Ils riment avec *injure*, et non avec *voyageur*. Ils prennent donc le tréma sur le *u*, comme *gageüre*. Ne confondez pas le mot rare *envergeüre* («croisement de fils d'un tissu»), qui rime avec *injure*, et le mot fréquent *envergure* («ampleur, étendue, importance»), qui rime avec *figure.*

Tour d'horizon

Voici la liste complète des mots dont le tréma est déplacé. Ils contiennent tous la suite *-güi-* ou *-güe-* : *aiguë(s)*, *ambiguë(s)*, *ambigüité(s)*, *cigüe(s)*, *contigüe(s)*, *contigüité(s)*, *désambigüisation(s)*, *désambigüiser* (et toutes ses formes conjuguées), *exigüe(s)*, *exigüité(s)*, *subaigüe(s)*, *suraigüe(s)*. On peut ajouter aussi les mots rares *bégüe(s)* (se dit d'un cheval – à ne pas confondre avec *bègue*), *bisaigüe(s)*, *besaigüe(s)*. C'est tout !

La liste complète des mots auxquels un tréma est ajouté sur le *u* se limite au verbe *argüer* (et toutes ses formes conjuguées) ainsi qu'aux mots se terminant par *-geüre* : *bringeüre*, *gageüre*, *égrugeüre*, *envergeüre*, *mangeüre*, *renvergeüre*, *rongeüre*, *vergeüre*. Ces mots sont très rares, sauf *gageüre*.

Interrogation

○ **Puisque l'on met un tréma sur le *u* dans *ambigüité*, doit-on aussi en mettre un sur le *u* de *linguiste* ?**

Réponse. Non. Dans les mots *linguiste* ou *aiguille*, on doit prononcer le *u*, comme on le fait dans le mot *lui* et dans *ambigüité* (alors que dans *guitare*, on n'entend pas le *u*). Les mots *linguiste*, *lui* et *aiguille* n'ont cependant jamais eu de tréma pour indiquer que leur *u* doit être prononcé, contrairement au mot *ambigüité*. Malgré cela, tous les francophones savent qu'il faut prononcer le *u*. Alors il a été jugé inutile de modifier la graphie de ces mots. Rappelez-vous que ce sont seulement le verbe *argüer* et les mots se terminant par *-geüre* qui reçoivent un nouveau tréma.

Il est vrai que *linguiste* pose cependant un problème de prononciation, mais d'un autre ordre : certaines personnes prononcent le *u* comme le son que l'on trouve dans *lui* (c'est ce qu'il faut en principe faire), d'autres prononcent à tort ce *u* comme le son « ou » que l'on trouve dans le mot *Louis*. Mais il reste que tous savent que le *u* est audible, et l'ajout du tréma n'aurait rien réglé. Rappelez-vous simplement que les mots *linguiste* et *linguistique* se prononcent « lin-g-u-i-st' », « lin-g-u-i-sti-k' », et non « lin-g-ou-i-st' », « lin-g-ou-i-sti-k' ».

Justifications

Le tréma permet de « détacher » une lettre de la précédente afin d'indiquer que chacune se prononce séparément, sans former ce que l'on appelle un *digramme*, c'est-à-dire un groupe de lettres représentant un seul son (par exemple, *ch*, *au*, *ou*, *ai* forment des digrammes). C'est ainsi que l'on distingue *maïs* (où le tréma indique que le *i* ne se « lie » pas au *a* qui le précède, qu'il ne forme pas de digramme avec lui) de *mais* (où *a* et *i* forment un digramme : le groupe *ai* se prononce « è »). Or, en ancienne orthographe, on écrivait notamment *aiguë* (féminin de *aigu*) et *ambiguïté*, ce qui entrait en contradiction avec le bon sens, puisque, dans un mot comme dans l'autre, c'est le *u* qui se «détachait» du *g* (ou, en termes plus rigoureux, qui ne formait pas de digramme avec lui) – et certainement pas le *e* (d'ailleurs muet!) ou le *i*. Cette absurdité avait amené la plupart des enseignants et même bon nombre de grammairiens à créer une «règle» artificielle, selon laquelle le tréma se plaçait sur la deuxième voyelle; or, cette «règle» n'était rien d'autre qu'un cache-misère : le rôle du tréma n'est pas d'être placé sur la ixième lettre d'un mot (ce n'est pas un jeu de loto!), mais bel et bien d'indiquer que telle lettre ne forme pas de digramme avec celle qui la précède. Beaucoup d'usagers l'avaient compris inconsciemment, puisque des graphies comme *aigüe* ou *ambigüité* se rencontrent déjà couramment dans l'usage depuis des décennies.

Par ailleurs, l'ajout du tréma dans certains mots (comme *argüer* ou *gageüre*) permet d'éviter des prononciations jugées fautives. En effet, *argüer* se prononce «ar-g-u-é»; or, l'absence de tréma faisait croire, à tort, qu'il rimait avec *narguer* : rien n'indiquait que le *u* ne devait pas former de digramme avec le *g*. Même remarque pour *gageüre* (où le *u* est détaché du *e* pour éviter de former à la lecture le digramme *eu*) et les autres mots semblables concernés par l'ajout d'un tréma.

SIMPLIFICATION DE CONSONNES DOUBLES

Les rectifications orthographiques ont simplifié quelques points épineux en matière de redoublement des consonnes.

▶ Tous les verbes en *-eler* (sauf *appeler* et ses composés) et tous les verbes en *-eter* (sauf *jeter* et ses composés) suivent désormais le même modèle de conjugaison : *peler* ou *acheter*. Leurs dérivés en *-ment* prennent l'accent grave au lieu de la consonne double. Exemples : *je chancèle* (de même : *chancèlement*), *tu cliquètes* (de même : *cliquètement*).

▶ On remet de l'ordre dans les mots terminés par *-ol(l)e* et dans les verbes terminés par *-ot(t)er*.

Verbes en *-eler* ou *-eter*

Règle

Les formes conjuguées des verbes en *-eler* ou *-eter* s'écrivent avec un accent grave et une consonne simple devant une syllabe graphique contenant un e instable (dit « e muet »). **Les verbes en *-eler* se conjuguent donc comme *peler*, les verbes en *-eter*, comme *acheter*. Les dérivés en *-ment* de ces verbes s'alignent sur l'orthographe du verbe.**

elle détèle (plutôt que *elle dételle*)
il étiquètera (plutôt que *il étiquettera*)
renouvèlement (plutôt que *renouvellement*)
cliquètement (plutôt que *cliquettement*)

EXCEPTIONS

Font exception à cette règle, parce qu'ils sont bien implantés dans l'usage : *appeler*, *jeter* et leurs composés (y compris *interpeler*).

Exercices (niveau 1)

❶ **CONJUGUEZ CES VERBES.**

	indicatif présent	futur simple
chanceler :	je _____	je _____
craqueler :	tu _____	tu _____

débosseler :	il _____	il _____
ensorceler :	elle _____	elle _____
épeler :	ils _____	ils _____
étinceler :	elles _____	elles _____
ficeler :	je _____	nous _____
harceler :	tu _____	vous _____
jumeler :	on _____	nous _____
niveler :	elle _____	vous _____
renouveler :	il _____	elles _____
ruisseler :	ils _____	ils _____

❷ **CONJUGUEZ CES VERBES.**

	indicatif présent	conditionnel présent
breveter :	je _____	je _____
briqueter :	tu _____	tu _____
cacheter :	elle _____	elle _____
caqueter :	il _____	il _____
crocheter :	elles _____	elles _____
décacheter :	ils _____	ils _____
déchiqueter :	je _____	nous _____
dépaqueter :	tu _____	vous _____
empaqueter :	on _____	nous _____
épousseter :	il _____	vous _____
feuilleter :	elle _____	ils _____
hoqueter :	elles _____	elles _____

Réponses (niveau 1)

① *Je chancèle, je chancèlerai; tu craquèles, tu craquèleras; il débossèle, il débossèlera; elle ensorcèle, elle ensorcèlera; ils épèlent, ils épèleront; elles étincèlent, elles étincèleront; je ficèle, nous ficèlerons; tu harcèles, vous harcèlerez; on jumèle, nous jumèlerons; elle nivèle, vous nivèlerez; il renouvèle, elles renouvèleront; ils ruissèlent, ils ruissèleront.*

② *Je brevète, je brevèterais; tu briquètes, tu briquèterais; elle cachète, elle cachèterait; il caquète, il caquèterait; elles crochètent; elles crochèteraient; ils décachètent, ils décachèteraient; je déchiquète, nous déchiquèterions; tu dépaquètes, vous dépaquèteriez; on empaquète, nous* empaquèterions; il époussète, vous épousseteriez; elle feuillète, ils feuillèteraient; elles hoquètent, elles hoquèteraient.

Exercices (niveau 2)

❶ **CONJUGUEZ CES VERBES.**

	indicatif présent	futur simple
amonceler :	elle _____	il _____
appeler :	elle _____	il _____
ciseler :	elle _____	il _____
déniveler :	elle _____	il _____
grommeler :	elle _____	il _____
interpeler :	elle _____	il _____
morceler :	elle _____	il _____
rappeler :	elle _____	il _____
jeter :	elle _____	il _____
projeter :	elle _____	il _____
rejeter :	elle _____	il _____
voleter :	elle _____	il _____

❷ **CHOISISSEZ LA FORME CORRECTE, EN TENANT COMPTE DES RECTIFICATIONS S'IL Y LIEU.**

❑ *un amoncèlement* ou ❑ *un amoncellement*

❑ *un attèlage* ou ❑ *un attelage*

❑ *un déchiquètage* ou ❑ *un déchiquetage*

❑ *un dénivèlement* ou ❑ *un dénivellement*

❑ *un ensorcèlement* ou ❑ *un ensorcellement*

❑ *une étincèle* ou ❑ *une étincelle*

❑ *un étincèlement* ou ❑ *un étincellement*

❑ *une ficèle* ou ❑ *une ficelle*

❑ *un grommèlement* ou ❑ *un grommellement*

❑ *un morcèlement* ou ❑ *un morcellement*

❑ *un renouvèlement* ou ❑ *un renouvellement*

❑ *un ruissèlement* ou ❑ *un ruissellement*

Réponses (niveau 2)

① *Elle amoncèle, il amoncèlera; elle appelle, il appellera; elle cisèle, il cisèlera; elle dénivèle, il dénivèlera; elle grommèle, il grommèlera; elle interpelle, il interpellera; elle morcèle, il morcèlera; elle rappelle, il rappellera; elle jette, il jettera; elle projette, il projettera; elle rejette, il rejettera; elle volète, il volètera.*

Rappelez-vous que les verbes *appeler* et *jeter* (ainsi que leurs semblables, c'est-à-dire *rappeler, interpeler, projeter* et *rejeter* dans ces exercices) doublent le *l* et le *t* dans les conjugaisons que nous avons vues. Les autres verbes de ces exercices suivent la règle générale de l'accent grave.

② Les formes correctes, en tenant compte des rectifications, sont : *un amoncèlement, un attelage, un déchiquetage, un dénivèlement, un ensorcèlement, une étincelle, un étincèlement, une ficelle, un grommèlement, un morcèlement, un renouvèlement, un ruissèlement.*

Seuls les noms en *-ment* dérivés de verbes en *-eler* ou *-eter* prennent l'accent grave, pas les autres noms. Les noms *ficelle* et *étincelle* ne sont pas des noms en *-ment*, ils ne sont donc pas concernés par les rectifications orthographiques.

Notez que le *e* dans les noms en *-age* (*attelage, déchiquetage*) ne se prononce pas «*è*», mais bien «*e*». Il n'y a donc pas de raison de mettre un accent grave sur ce *e*. Ces noms ne se terminent d'ailleurs pas par *-ment*, mais par *-age* : ils ne sont pas touchés par les rectifications.

Tour d'horizon

Vous avez vu les exemples les plus fréquents dans les exercices. Voici d'autres verbes en *-eler* qui se conjuguent comme *peler* (*je pèle*) : *atteler, bosseler, botteler, bourreler, carreler, museler, râteler, ressemeler.* Voici d'autres exemples de verbes en *-eter* : *chiqueter, claqueter, cliqueter, se colleter, craqueter, haleter, marqueter.* Finalement, voici d'autres exemples de noms en *-ment* dérivés de verbes en *-eler* ou *-eter* : *bourrèlement, chancèlement, cisèlement, cliquètement, craquèlement, craquètement, musèlement, nivèlement, volètement.*

Interrogations et curiosités

✪ **Les verbes *appeler*, *jeter* et leurs composés (y compris *interpeler*) continuent de se conjuguer comme ils se conjuguaient traditionnellement. Quelle est la liste complète de ces verbes ?**

Réponse. Comme *appeler* : *rappeler, entrappeler* et *interpeler.* Comme *jeter* : *rejeter, projeter, interjeter*, et les verbes plus rares *déjeter, forjeter, introjeter, surjeter, trajeter, tréjeter.*

❂ **Le verbe** *interpeler* **s'écrivait** *interpeller* **et avait une conjugaison particulière :** *j'interpelle, nous interpellons.* **Que lui est-il arrivé ?**

Réponse. Interpeler avait effectivement une conjugaison particulière : on trouvait deux *l* à l'infinitif (*interpeller*) ainsi que dans toutes les formes conjuguées (*j'interpelle* mais aussi *nous interpellons*) ; il se comportait donc comme *flageller*, mais, à la différence de ce dernier, il rimait avec *appeler* (« in-tèr-pe-lé » et non « in-tèr-pé-lé »). *Interpeller* est devenu *interpeler* en nouvelle orthographe : il se conjugue comme *appeler*, tout simplement (*interpeler, j'interpelle, nous interpelons*).

❂ **Comment conjugue-t-on le verbe** *pelleter* **au présent de l'indicatif ?**

Réponse. Il s'agit d'un verbe en *-eter* qui ne fait pas partie des exceptions : il se conjugue donc comme *acheter* : *je pellète* (comme *j'achète*). Or, il est vrai que l'on entend parfois prononcer *je pellète* « je pèlt' » plutôt que « je pè-lèt' ». Ce phénomène, qui se rencontre avec quelques autres verbes encore (*déchiqueter*, par exemple), n'a de lien ni avec l'ancienne ni avec la nouvelle orthographe.

❂ **Si l'on écrit** *j'étiquète* **(verbe** *étiqueter***) et** *je jumèle* **(verbe** *jumeler***), doit-on écrire maintenant** *une étiquette* **et** *une jumelle* **avec un accent grave ?**

Réponse. Non : seules les conjugaisons des verbes en *-eler* et *-eter* ont été touchées par les rectifications, ainsi que les dérivés en *-ment* de ces verbes. Aussi, les noms *une étiquette, une jumelle* ne sont pas touchés par les rectifications – ils ne se terminent pas par *-ment* –, pas plus que les noms *étiquetage* et *jumelage*, ou encore *époussetage* et *épellation*.

❂ **La règle fait appel à la notion de e instable (dit « e muet »). Qu'est-ce qu'un e instable (dit « e muet ») ? Le e̲ (souligné) n'est pas nécessairement muet dans** *chanc̲eler, épouss̲eter…*

Réponse. Reportez-vous à la page 84.

┃ Justifications

En adoptant un modèle unique de conjugaison (*peler* pour les verbes en *-eler, acheter* pour les verbes en *-eter*), la nouvelle orthographe enlève une épine du pied à tout le monde : il arrivait que les dictionnaires se contredisaient quant à la conjugaison de plusieurs de ces verbes – et cela se produisait assez couramment.

Le choix du modèle de conjugaison permet d'aligner les verbes en *-eler* ou *-eter* sur tous les verbes en « e+consonne+er » : *je ruissèle* comme *je sème*.

Enfin, l'exception maintenue pour *appeler*, *jeter* et leurs composés est souhaitable : s'il est bien deux verbes particulièrement courants, c'est précisément *appeler* et *jeter*. Aurait-il vraiment été bien avisé de changer leur conjugaison alors que, aujourd'hui, personne n'hésite, par exemple, sur la double consonne à *il jette* ? «*[L]e groupe de travail du Conseil supérieur a estimé que l'on perturberait les usagers en changeant l'orthographe de formes aussi fréquentes que* jette *et* appelle », dit André Goosse dans *La «nouvelle» orthographe* (voir la bibliographie p. 119); la décision a donc été de ne pas bousculer des habitudes déjà bien établies. Naturellement, rien n'empêchera d'aligner *appeler* et *jeter* sur *peler* et *acheter* dans plusieurs décennies, lorsqu'ils seront vraiment ressentis comme des exceptions.

◈

Mots en *-ole* et verbes en *-oter*

Règles

Les mots anciennement en *-olle* s'écrivent avec une consonne simple : *-ole*.

corole (plutôt que *corolle*)
girole (plutôt que *girolle*)

EXCEPTIONS

Font exception à cette règle : *colle*, *folle* et *molle*.

Les verbes anciennement en *-otter* s'écrivent avec une consonne simple : *-oter*. Leurs dérivés s'alignent sur l'orthographe du verbe.

frisoter (plutôt que *frisotter*)
frisotis (plutôt que *frisottis*)

EXCEPTIONS

On fait exception pour les mots de la même famille qu'un nom en *-otte* (exemple : *botte/botter*, *flotte/flotter/flottement*).

Exercices

❶ *RÉCRIVEZ EN NOUVELLE ORTHOGRAPHE LES MOTS QUI PRENNENT MAINTENANT UN SEUL L.*

barcarolle : _____

colle : _____

corollaire : _____

corolle : _____

folle : _____

girolle : _____

guibolle : _____

mariolle : _____

molle : _____

moucherolle : _____

muserolle : _____

trolle : _____

❷ RÉCRIVEZ EN NOUVELLE ORTHOGRAPHE LES MOTS QUI PRENNENT MAINTENANT UN SEUL T.

ballottage : _____

ballottement : _____

ballotter : _____

cachotterie : _____

cachottier, cachottière : _____

dégotter : _____

frisotter : _____

frisottis : _____

garrotter : _____

grelottement : _____

grelotter : _____

mangeotter : _____

Réponses

① Les mots suivants ont été rectifiés comme suit : *barcarole* ; *corolaire* ; *corole* ; *girole* ; *guibole* ; *mariole* ; *moucherole* ; *muserole* ; *trole*.

> *Colle*, *folle* et *molle*, qui sont des mots très fréquents, n'ont pas été touchés par les rectifications. Ils gardent leur graphie avec deux *l*. Quant à *corole* et *corolaire*, ils viennent historiquement du même mot latin signifiant «couronne». Ils sont rectifiés tous les deux.

> À propos, connaissez-vous la signification de tous ces mots ? Une barcarole (de *barca*, «barque») est une chanson des gondoliers vénitiens. Une girole est un champignon peut-être plus connu sous le

nom de chanterelle. Un ou une moucherole est un oiseau, plus exactement un passereau d'Amérique voisin des gobe-mouches. La muserole est la partie de la bride qui empêche le cheval d'ouvrir la bouche.

② Tous les mots de cet exercice ont été rectifiés : *ballotage*; *ballotement*; *balloter*; *cachoterie*; *cachotier, cachotière*; *dégoter*; *frisoter*; *frisotis*; *garroter*; *grelotement*; *greloter*; *mangeoter*.

Tour d'horizon

Ces courts exercices vous ont donné un bon aperçu des quelques mots rectifiés. En voici d'autres en -*ole* : *arole, bouterole, crole, fumerole, fusarole, grole, rousserole, scole, tartignole, tavaïole*. Comme vous le constatez, ce sont des mots très rares, que vous n'utilisez probablement jamais. Nous avons vu que *colle, folle* et *molle* font exception; de même, des composés comme *glycérocolle, glycocolle, ichtyocolle, ostéocolle* conservent le double *l*.

Voici d'autres verbes en -*oter* et des dérivés qui sont rectifiés (mots rares) : *bouloter, cocoter, dansoter, fayoter, garrotage, grelotement, margoter, rouloter, yoyoter*.

Interrogations et curiosités

✪ **Si les verbes en -*otter* s'écrivent -*oter* en nouvelle orthographe, doit-on écrire maintenant les verbes *carotter*, *culotter*, *décrotter*, *menotter* avec un seul *t*?**

Réponse. Non. Rappelez-vous l'exception énoncée après la règle : les mots de la même famille qu'un nom en -*otte* ne sont pas touchés par les rectifications (exemples : *botte/botter*, *flotte/flotter/flottement*). Puisque les noms *carotte, culotte, crotte* et *menotte* existent, les mots de ces familles ne sont pas touchés par les rectifications : on leur laisse leur double *t*. Note : *carotter* signifie « extraire des carottes du sol, soutirer ».

✪ **On écrit *trole* en nouvelle orthographe. Les graphies *troll* ou *trôle* ont-elles disparu?**

Réponse. Non, elles existent toujours. Il ne faut pas confondre *trole* (anciennement *trolle*), *troll* et *trôle*. C'est le mot *trolle* («façon de chasser») qui est rectifié en *trole*. Le mot *troll*, qui signifie «lutin», n'a pas été rectifié. Le verbe *trôler* et le nom *trôle* (*pêcher à la trôle*) n'ont pas été modifiés non plus.

Justifications

La série des mots en *-ole* était composée d'éléments disparates qu'il convenait d'uniformiser. En effet, *girole* (graphie rectifiée pour *girolle*) rime avec *bestiole*, et la présence d'un *l* tantôt simple tantôt double n'était pas justifiée par la prononciation.

Pour ce qui est des verbes en *-oter*, comment expliquer que l'ancienne orthographe commandait d'écrire *mangeotter* mais *neigeoter*, alors que, dans les deux cas, on avait affaire au même suffixe*, signifiant « légèrement » ou « maladroitement » ? Pourquoi écrivait-on *amignotter* alors que ce verbe est de la famille de *mignoter* ? Les spécialistes qui ont élaboré les rectifications ont opté pour la cohérence.

---

* Un suffixe est un élément que l'on place à la fin d'un mot, pour en modifier le sens ou la valeur grammaticale. Par exemple, dans *aimablement*, *-ment* est un suffixe.

ANOMALIES

Les rectifications orthographiques ont supprimé quelques-unes des anomalies isolées les plus criantes de notre orthographe.

▶ Elles ont réaccordé certaines familles, par cohérence et par harmonie. Par exemple, sur le modèle de *siffler*, on écrit maintenant *persiffler*, *persifflage*, *persiffleur* et *persiffleuse* avec deux *f*.

▶ D'autres mots ont été rectifiés pour différentes raisons (il leur manquait un accent, ils avaient une lettre de trop...). Exemples : *féérique* plutôt que *féerique*, *quincailler* comme *conseiller*.

▶ Un seul cas particulier de l'accord du participe passé est clarifié : il s'agit du participe passé de *laisser*, qui s'harmonise avec le comportement du participe passé de *faire* en restant invariable s'il est suivi d'un infinitif (*je les ai laissé revenir* comme déjà *je les ai fait revenir*). En ancienne orthographe, le cas du participe passé de *laisser* suivi d'un infinitif était très hésitant.

Familles et séries réaccordées

| Présentation

Quelques rectifications bien ciblées permettent de rendre plus cohérentes certaines familles ou séries de mots.

Mots harmonisés avec leur famille

absout, absoute (participe
  passé)
assoir, messoir, rassoir, sursoir
bonhommie
boursoufflé, boursoufflée,
  boursoufflement,
  boursouffler, boursoufflure
cahutte
charriot, charriotage,
  charrioter
chaussetrappe
combattif, combattive,
  combattivité

déciller
dissout, dissoute (participe
  passé)
embattre
imbécilité
innommé, innommée
persifflage, persiffler,
  persiffleur, persiffleuse
prudhommal, prudhommale,
  prudhomme, prudhommie
sottie
ventail

Mots harmonisés avec une série

appâts (nom masculin
   pluriel)
cuisseau (dans tous les cas)
dentelier
douçâtre
exéma,
   exémateux, exémateuse

interpeler (j'interpelle, nous
   interpelons, etc.)
levreau
lunetier
ognon, ognonade, ognonière
prunelier
relai

Autres mots rectifiés

bizut
guilde
homéo-
nénufar
pagaille
ponch («boisson»)

saccarine (et famille)
sconse
sorgo
tocade, tocante,
   tocard, tocarde

Quelques accents ajoutés

De plus, on munit d'un accent (aigu ou grave) quelques mots où il avait
été omis, ou dont la prononciation a changé : *asséner* (plutôt que *assener*),
papèterie (plutôt que *papeterie*), etc.

Mots en *-iller*

On écrit en *-iller* les mots anciennement en *-illier* où le *i* qui suit les deux *l*
ne s'entend pas : *joailler* (plutôt que *joaillier*), *serpillère* (plutôt que
serpillière), etc. Font exception les noms d'arbre (comme *groseillier*).

Participe passé *laissé* + infinitif

Enfin, on laisse invariable le participe passé de *laisser* s'il est suivi d'un
infinitif, comme c'était le cas avec *faire* : *ils se sont laissé mourir de faim*,
comme *ils se sont fait mourir de faim*.

Exercices (niveau 1)

❶ *CHOISISSEZ LA FORME CORRECTE, EN TENANT COMPTE DES RECTIFICATIONS
ORTHOGRAPHIQUES S'IL Y A LIEU.*

(Famille de *homme*)   ❑ *Bonhomie* ou ❑ *bonhommie*

(Famille de *souffler*)   ❑ *Boursouflure* ou ❑ *boursoufflure*

(Famille de *charrette*)   ❑ *Chariot* ou ❑ *charriot*

(Famille de *battre*)   ❑ *Combatif* ou ❑ *combattif*

(Famille de *battre*)   ❑ *Combativité* ou ❑ *combattivité*

(Famille de *cil*)   ❑ *Dessiller* ou ❑ *déciller*

(Famille de *hutte*)   ❑ *Cahute* ou ❑ *cahutte*

(Famille de *imbécile*)   ❑ *Imbécillité* ou ❑ *imbécilité*

(Famille de *nommer*)   ❑ *Innomé* ou ❑ *innommé*

(Famille de *siffler*)   ❑ *Persifler* ou ❑ *persiffler*

(Famille de *sottise*)   ❑ *Sotie* ou ❑ *sottie*

(Famille de *vent*)   ❑ *Vantail* ou ❑ *ventail*

❷ **CHOISISSEZ LA SÉRIE RECOMMANDÉE EN NOUVELLE ORTHOGRAPHE.**

❑ *Il est absous, elle est absoute.*
     ou ❑ *Il est absout, elle est absoute.*

❑ *Je m'assois ici, et tu vas t'asseoir là.*
     ou ❑ *Je m'assois ici, et tu vas t'assoir là.*

❑ *Cuissot de cerf, cuisseau de veau.*
     ou ❑ *Cuisseau de cerf, cuisseau de veau.*

❑ *Il est dissous, elle est dissoute.*
     ou ❑ *Il est dissout, elle est dissoute.*

❑ *Forçat, commerçant, douceâtre.*
     ou ❑ *Forçat, commerçant, douçâtre*

❑ *Exagérer, exercice, examen, eczéma.*
     ou ❑ *Exagérer, exercice, examen, exéma.*

❑ *Baleineau, chevreau, lionceau, levraut.*
     ou ❑ *Baleineau, chevreau, lionceau, levreau.*

❑ *Trognons, rognons, oignons.*
     ou ❑ *Trognons, rognons, ognons.*

❑ *Balai, balayer; essai, essayer; relais, relayer.*
     ou ❑ *Balai, balayer; essai, essayer; relai, relayer.*

❑ *Noisette, noisetier; lunette, lunettier.*
     ou ❑ *Noisette, noisetier; lunette, lunetier.*

❑ *Chamelle, chamelier; prunelle, prunellier.*
     ou ❑ *Chamelle, chamelier; prunelle, prunelier.*

❑ *Appeler, apelons, appelle; interpeller, interpellons, interpelle.*
     ou ❑ *Appeler, appelons, appelle; interpeler, interpelons, interpelle.*

Réponses (niveau 1)

① Les graphies rectifiées sont : *bonhommie, boursoufflure, charriot, combattif, combattivité, déciller, cahutte, imbécilité, innommé, persiffler, sottie, ventail.*

② Les paires rectifiées étaient toujours les paires les plus cohérentes, c'est-à-dire les secondes.

Exercices (niveau 2)

❶ CHOISISSEZ LA FORME RECOMMANDÉE EN NOUVELLE ORTHOGRAPHE.

❑ *Assener* ou ❑ *asséner*

❑ *Besicles* (lunettes) ou ❑ *bésicles* (lunettes)

❑ *Briqueterie* ou ❑ *briquèterie*

❑ *Féerique* ou ❑ *féérique*

❑ *Gangreneuse* ou ❑ *gangréneuse*

❑ *Gelinotte* ou ❑ *gélinotte*

❑ *Guillemeter* ou ❑ *guilleméter*

❑ *Papeterie* ou ❑ *papèterie*

❑ *Parqueterie* ou ❑ *parquèterie*

❑ *Québecois* ou ❑ *québécois*

❑ *Repartie* (réplique) ou ❑ *répartie* (réplique)

❑ *Vilenie* ou ❑ *vilénie*

❷ CHOISISSEZ LA FORME CORRECTE, EN TENANT COMPTE DES RECTIFICATIONS ORTHOGRAPHIQUES S'IL Y A LIEU.

❑ *Joaillière* ou ❑ *joaillère*

❑ *Marguillier* ou ❑ *marguiller*

❑ *Sapotillier* (arbre) ou ❑ *sapotiller* (arbre)

❑ *Serpillière* ou ❑ *serpillère*

❑ *Des appas* (des charmes) ou ❑ *des appâts* (des charmes)

❑ *Saccharine* ou ❑ *saccarine*

❑ *Homœopathie* ou ❑ *homéopathie*

❑ *Nénuphar* ou ❑ *nénufar*

❑ *Bizuth* ou ❑ *bizut*

❑ *Ils les ont laissés partir* ou ❑ *Ils les ont laissé partir*

❑ *Elle s'est laissée maigrir* ou ❑ *Elle s'est laissé maigrir*

❑ *Elle s'est faite maigrir* ou ❑ *Elle s'est fait maigrir*

Réponses (niveau 2)

① Les graphies rectifiées sont : *asséner, bésicles, briquèterie, féérique, gangréneuse, gélinotte, guilleméter, papèterie, parquèterie, québécois, répartie, vilénie.*

② Il fallait choisir : *joaillère, marguiller, sapotillier, serpillère, des appâts, saccarine, homéopathie, nénufar, bizut, ils les ont laissé partir, elle s'est laissé maigrir, elle s'est fait maigrir.*

Attention à *sapotillier* : c'est un nom d'arbre, il garde donc le suffixe *-ier* (que l'on retrouve dans *pommier* et *prunier*, par exemple).

Nénufar retrouve son *f* d'origine (ce mot vient de l'arabe *nînûfar*). On a depuis toujours écrit *nénufar*. Ce n'est qu'en 1935 qu'une erreur, qui se faisait courante depuis quelques décennies, a été enregistrée dans le *Dictionnaire* de l'Académie française : on avait cru à tort que ce mot était d'origine grecque. Cette erreur humaine vient d'être réparée. C'est le seul mot en français dont le *ph* a été rectifié en *f* récemment.

Tour d'horizon

La liste présentée au début de cette section donne un très bon aperçu des anomalies rectifiées. Revoyez-la afin de bien la mémoriser.

Nous vous présentons ici des informations complémentaires pour terminer ce tour d'horizon.

Voici d'autres exemples limités de graphies auxquelles on a ajouté un accent aigu manquant : *féérie, gangréneux, recéler, recéleur* et *recéleuse, recépage, recépée, recéper, réclusionnaire, réfréner, réfrènement, répartir* («répliquer»), *robinétier* et *robinétière, trompéter.*

Comme on l'a vu dans *briquèterie, papèterie* et *parquèterie*, on a ajouté un accent grave manquant lorsqu'un e était suivi d'une syllabe contenant un e instable, dit «e muet». Voici d'autres exemples limités de graphies auxquelles on a ajouté un accent grave dans ce contexte : *bonnèterie, bufflèterie, gaillèterie, gobelèterie, grainèterie, marquèterie, mousquèterie, panèterie.*

Voici d'autres graphies rectifiées en *-iller* : *aiguiller, boutiller, coquiller, coquillère, ouillère* (à ne pas confondre avec *houillère*), *quiller, quincailler, quincaillère*, et aussi *médailler*, qui signifie «collection de médailles» ou «meuble» et que l'on ne doit pas confondre avec *un médaillé olympique* ou *une médaillée olympique*. Remarquez que le nom *millier* n'est évidemment pas concerné.

Les participes passés *absout* et *dissout* (anciennement *absous* et *dissous*) ont été rectifiés pour s'harmoniser avec leurs féminins *absoute* et *dissoute*. Il est beaucoup plus logique qu'ils se terminent par *t* au masculin. Nous n'avons pas mentionné le participe passé *résout*, qui a pourtant aussi été rectifié. C'est que le verbe *résoudre* a deux participes passés : la forme courante et moderne *résolu/résolue* et la forme vieillie *résous/résout*, corrigée en *résout/résoute*. Cette forme vieillie est très rare et ne s'utilise que dans le sens de «transformé, dont l'état est changé», comme dans *un brouillard résout en pluie*. Mais on pourrait, même dans ce sens, utiliser *résolu* : *un brouillard résolu en pluie*. En tout temps, l'emploi de *résolu/résolue* comme participe passé de *résoudre* est la forme qui convient. Par ailleurs, si vous conjuguez le verbe *résoudre*, n'oubliez pas que la forme de l'indicatif présent au singulier est et demeure *je/tu résous ce problème, il/elle résout ce problème*. La conjugaison au présent n'a pas été modifiée.

Le mot *nénufar* étant le seul mot dont le *ph* a été changé en *f* (pour corriger une erreur historique), il n'y a aucune rectification apportée aux mots *éléphant, pharmacien, photo, philosophie*, etc. Ces mots continuent de s'écrire avec le *ph*.

Les mots *saccarine, saccarose* (anciennement *saccharine, saccharose*) et leur famille sont rectifiés. Leur famille comprend plus de vingt termes (*monosaccaride, polysaccaride, saccarification, saccarifier, saccaroïde...*).

Lorsque deux formes étaient en concurrence, la forme la plus simple a été privilégiée : *guilde* a été préféré à sa variante *ghilde* ; *pagaille* (*semer la pagaille*, le désordre) a été préféré à *pagaye* et *pagaïe* (à ne pas confondre avec *pagaie*, «rame courte») ; la forme *sconse* l'emporte sur *skunks, skuns, skons* et au moins huit autres variantes ; *tocade* a été préféré à *toquade*.

Pour la même raison, le préfixe *homéo-* (que l'on trouve, par exemple, dans *homéopathie*) supplante maintenant *homœo-*. On trouve également *œ* dans le mot *phœnix*. Saviez-vous que *phœnix* signifie uniquement «variété de palmier», alors que *phénix* signifie «oiseau fabuleux», «personne exceptionnelle» ou «variété de palmier»? Ce n'est qu'en anglais que l'on écrit *phoenix* pour désigner un oiseau qui renait de ses cendres. Par exemple, le livre *Harry Potter and the Order of the Phoenix* a pour titre en français *Harry Potter et l'Ordre du Phénix*. Le mot *phœnix* existe en français, mais il signifie uniquement «palmier». Cela vous surprend? Peut-être êtes-vous influencé à tort par le nom propre Phoenix, désignant soit une ville des États-Unis en Arizona, soit le nom latin international de la constellation du Phénix. À moins que vous soyez sous l'influence du nom commun *phoenix* en anglais. Puisqu'au sens de «variété de palmier» il existait déjà en français les deux variantes orthographiques *phœnix* et *phénix* (on avait le choix d'utiliser l'une ou l'autre en botanique), la nouvelle orthographe privilégie la graphie la plus simple en français : *phénix*.

Parmi ces listes (pratiquement complètes) d'exemples rectifiés, prenez note de la nouvelle graphie des mots les plus fréquents, mots que vous serez susceptible d'orthographier dans vos propres textes. Vous voyez qu'il y en a tout de même très peu d'usage courant à retenir.

Interrogations et curiosités

✪ Puisque *battre/combattivité* et *siffler/persifflage* ont été harmonisés, pourquoi ne pas avoir harmonisé aussi *pomme* et *pomiculteur*?

Réponse. On ne pouvait pas – et on ne voulait pas – rectifier toutes les anomalies : il y aurait eu trop de modifications d'un coup. Les rectifications se veulent modérées, et elles ont été élaborées dans l'esprit des réformes précédentes, qui, elles-mêmes, n'avaient pas supprimé toutes les anomalies. Il reste encore, dans la catégorie des «familles désaccordées», de nombreux cas non rectifiés (ex. : *honneur* mais *honorer, patronner* mais *patronage, millionnaire* mais *millionième*...). Les graphies *pomiculteur* et *pomiculture* n'ont pas fait partie de la liste des rectifications proposées et continueront de s'écrire ainsi. Notez qu'un pomiculteur ne cultive pas nécessairement des pommes : le mot *pomiculteur* signifie «personne qui cultive les arbres produisant des fruits à pépins (melons, poires, pommes, etc.)».

✪ Pourquoi les rectifications ont-elles corrigé *oignon* en *ognon* ?

Réponse. À partir du Moyen Âge, il y a eu au moins deux façons de marquer le nouveau son que l'on trouve, par exemple, dans *montagne*. On utilisait souvent *gn* ou *ign* : les deux étaient possibles. La notion de «faute d'orthographe» n'a pas toujours existé : il y a plusieurs siècles, un même mot se rencontrait parfois dans l'usage sous de multiples formes. Ainsi, on a déjà trouvé *ognon, oignon, ongnon, oingnon*. On a aussi écrit *la pogne* ou *la poigne*. De même, le mot *montagne* s'est écrit jadis *montaigne*. Si vous lisez séparément les lettres *o-i* dans *po-igne*, ce mot rime avec *pogne*. Si vous lisez séparément les lettres *a-i* dans *monta-igne*, ce mot rime avec *montagne*. Dans les dictionnaires, vous trouvez une trace de la vieille forme *Montaigne* dans les noms propres, et vous trouvez encore *pogne*, avec la mention «*Vieilli*» ou «*Archaïsme pour* poigne». Le danger avec les suites *oi* et *ai* dans ces contextes était que le lecteur puisse faire rimer ces suites avec *roi* et *balai*. C'est ce qui est arrivé avec les années à *poignet* et à *poignard*, ainsi qu'à *araignée*, ce petit animal de la sous-classe des aranéides. La prononciation «a-ra-gné» aurait évolué en «a-rè-gné» sous l'influence de l'orthographe. Par contre, la forme *gagner* l'a emporté sur *gaigner*, la graphie litigieuse *besoigne* a cédé sa place à *besogne, rognon* l'a emporté sur *roignon*, et finalement *Gascoigne* et *Espaigne* se sont écrits plutôt *Gascogne* et *Espagne*, confirmant ainsi au lecteur la bonne prononciation à employer. L'orthographe n'est pas immuable : elle évolue et se précise. Pour *ognon*, il s'est passé un peu la même chose. La graphie *ognon* était donnée comme variante dans le *Dictionnaire* de l'Académie française en 1878. Comme c'est elle qui correspond le mieux à la prononciation généralisée, c'est cette variante sans *i* qui est dorénavant recommandée : on recommence maintenant à écrire *ognon*, comme on écrit déjà *rognon* et *trognon*.

✪ La règle d'accord des participes passés des verbes pronominaux est-elle modifiée par les rectifications orthographiques ?

Réponse. Seul le participe passé de *laisser* est touché par les rectifications orthographiques : lorsqu'il est suivi d'un infinitif, il reste invariable, peu importe qu'il soit employé avec *avoir* ou qu'il soit en emploi pronominal. Il suit la règle de *fait*, qui est nécessairement invariable lorsqu'il est suivi d'un infinitif. Cette invariabilité était déjà appliquée par certains. Pour éviter le double usage avec *laissé* (certains auteurs l'accordaient, d'autres ne l'accordaient pas puisque l'accord était facultatif), l'invariabilité de ce participe a été rendue systématique, comme elle l'était déjà pour *fait*.

Recommandations générales

D'une manière générale, les rectifications recommandent d'opter pour la graphie la plus simple lorsque plusieurs formes existent. Cette recommandation s'adresse plus particulièrement aux auteurs de dictionnaires et aux créateurs de mots. Voici quelques exemples.

> ▶ Il existe déjà les deux formes *acuponcture* et *acupuncture* : on privilégie la graphie la plus fidèle à la prononciation, *acuponcture*.

> ▶ Il existe déjà les deux formes *allo* et *allô* : on privilégie la graphie la plus simple, *allo*.

> ▶ Il existe déjà les deux formes *cacahouète* et *cacahuète*, qui riment toutes deux avec *chouette* : on privilégie la graphie la plus facile à lire, *cacahouète*.

> ▶ Il existe déjà les deux formes *cleptomane* et *kleptomane* : on privilégie la graphie francisée, *cleptomane*.

> ▶ Il existe déjà les deux formes *fiord* et *fjord* : on privilégie la graphie francisée, *fiord*.

> ▶ On privilégie des graphies plus proches du français : *globetrotteur* au lieu de la forme *globetrotter* ou *globe-trotter*; *gourou* au lieu de la forme *guru*, facilitant ainsi la lecture de ce mot; *paélia* (au lieu de la forme espagnole *paella*), beaucoup plus facile à lire; *sprinteur* au lieu de la forme anglaise *sprinter*; *squatteur* au lieu de la forme anglaise *squatter*; *taliatelle* au lieu de la forme italienne *tagliatelle*, clarifiant ainsi la prononciation; *tchao* au lieu de la forme italienne *ciao*, facilitant ainsi la lecture de ce mot.

> ▶ D'une manière générale, on choisit la graphie la plus simple : *clé* plutôt que *clef*, *cuillère* plutôt que *cuiller*, etc.

La nouvelle orthographe, utilisez-la !

Grâce au chapitre des exercices, vous avez fait un tour complet des règles en nouvelle orthographe, vous avez donc une très bonne idée des principes de cohérence et d'uniformité qui animent les rectifications de l'orthographe. Vous êtes prêt maintenant à l'utiliser quotidiennement dans vos écrits personnels et au travail. Assurez-vous que votre texteur ne vous jouera pas de mauvais tours à votre insu (voir la procédure pour neutraliser les corrections automatiques indésirables, p. 25).

Trois exercices récapitulatifs vous attendent dans les pages suivantes, afin de tester l'intégration de toutes vos connaissances dans un texte. Pour un résumé, consultez le prochain chapitre. Pour connaitre la liste alphabétique de tous les mots touchés par les rectifications de l'orthographe, consultez le *Vadémécum de l'orthographe recommandée* (voir p. 120).

La nouvelle orthographe, parlez-en !

Discutez de vos nouvelles connaissances avec votre entourage, en famille, entre amis, avec vos collègues, avec les dirigeants de votre entreprise, avec les professeurs de vos enfants. La nouvelle orthographe, c'est pour tout le monde !

Note. Pour la rédaction des exercices et de la partie théorique, plusieurs documents ont été utilisés avec profit : le *Vadémécum de l'orthographe recommandée*, publié par le RENOUVO, *La «nouvelle» orthographe. Exposé et commentaires*, d'André Goosse (éditions Duculot), *Le petit livre de l'orthographe actuelle*, publié par l'Association pour l'information et la recherche sur les orthographes et les systèmes d'écriture (AIROÉ), les logiciels Antidote Prisme et ProLexis (voir la bibliographie, p. 120) et le site d'information www.orthographe-recommandee.info. D'autres ouvrages ont été consultés, notamment pour les définitions et l'évolution des graphies, en particulier : le *Dictionnaire Hachette* (édition 2005), le *Petit Robert* (éditions 1981, 1996 et 2001), le *Petit Larousse* (éditions 1988, 1998 et 2003), le *Multidictionnaire [des difficultés] de la langue française*, de Marie-Éva de Villers (éditions 1994 et 2003), *Bescherelle, l'art de conjuguer* (éditions 1980 et 1998), le *Dictionnaire de la langue française*, d'Émile Littré (1863-1873), différentes éditions du *Dictionnaire* de l'Académie française, le «Rapport du Conseil supérieur de la langue française sur les rectifications orthographiques» (*Journal officiel de la République française* du 6 décembre 1990 – Paris).

Une version remaniée des présents exercices et de leur corrigé a été cédée à un centre de développement de matériel didactique pour des fins pédagogiques. On peut retrouver en ligne cette autre version (des mêmes auteurs), notamment en passant par www.orthographe-recommandee.info/savoir.htm.

Exercices récapitulatifs

Exercice – la dictée de Decaux

ALAIN DECAUX, DE L'ACADÉMIE FRANÇAISE, A IMAGINÉ CE TEXTE QUELQUE PEU INCONGRU – QUI FAIT RÉFÉRENCE À LA « DICTÉE DE MÉRIMÉE » – POUR Y PLACER UN GRAND NOMBRE DE MOTS RECTIFIÉS. CE TEXTE EST ICI EN ANCIENNE ORTHOGRAPHE. RÉCRIVEZ-LE EN TENANT COMPTE DES RECTIFICATIONS.

Rectifier l'orthographe : quel événement ! Pour parler sans ambiguïté, le dîner à Sainte-Adresse cher à Prosper Mérimée avec ses célèbres cuisseaux ou cuissots qui changeaient d'allure selon qu'ils étaient de veau ou de chevreuil m'a toujours paru lourd à digérer, surtout par de beaux après-midi d'août. Désormais, les persiflages sur les incohérences de notre langue seront inutiles : tous les hommes feront preuve d'une égale bonhomie et abandonneront allégrement leurs instincts combatifs : ils ne songeront plus à tyranniser les enfants qui épellent déjà les mots comme ils pèlent les pommes qu'on leur a laissé acheter. Mais pour éviter les chausse-trappes, ne risqué-je point, en contrepartie, de me placer à contre-courant et de m'exposer indûment aux lazzi tel un va-nu-pieds grelottant, un traîne-savates complètement soûl ou un mariolle marchant à cloche-pied avec son pantalon tire-bouchonné ?

Refusant à la fois le train-train et les mélis-mélos, les a priori comme les statu quo, je souscris aux desiderata de ceux qui veulent distinguer les jeunes gens sûrs et mûrs et les jeûnes religieux, mais, sans surseoir davantage, je rejette gaîment les toquades des contremaîtres et les trémolo des maîtresses déchaînées par la disparition de leur accent circonflexe.

Je suis souvent interpellé : pensez-vous que les auteurs de cette nouvelle réglementation doivent être absous ? Le tréfonds de cette affaire est simple : l'orthographe n'est pas la langue, elle ne fait que l'habiller. Les goûts changent, alors pourquoi pas le vêtement ? Avec son costume allégé, la dentellière d'aujourd'hui a-t-elle perdu de ses appas ?

Réponses

Rectifier l'orthographe : quel <u>évènement</u> ! Pour parler sans <u>ambigüité</u>, le <u>diner</u> à Sainte-Adresse cher à Prosper Mérimée avec ses célèbres <u>cuisseaux</u> qui changeaient d'allure selon qu'ils étaient de veau ou de chevreuil m'a toujours paru lourd à digérer, surtout par de beaux <u>après-midis</u> d'<u>aout</u>. Désormais, les <u>persifflages</u> sur les incohérences de notre langue seront inutiles : tous les hommes feront preuve d'une égale bonhommie et abandonneront allègrement leurs instincts combattifs : ils ne songeront plus à tyranniser les enfants qui épèlent déjà les mots comme ils pèlent les pommes qu'on leur a laissé acheter. Mais pour éviter les chaussetrappes, ne risquè-je point, en contrepartie, de me placer à contrecourant et de m'exposer indument aux lazzis tel un vanupied grelotant, un traine-savate complètement soul ou un mariole marchant à clochepied avec son pantalon tirebouchonné?

Refusant à la fois le traintrain et les mélimélos, les aprioris comme les statuquos, je souscris aux désidératas de ceux qui veulent distinguer les jeunes gens surs et murs et les jeûnes religieux, mais, sans sursoir davantage, je rejette gaiment[*] les tocades des contremaitres et les trémolos des maitresses déchainées par la disparition de leur accent circonflexe.

Je suis souvent interpelé : pensez-vous que les auteurs de cette nouvelle règlementation doivent être absouts? Le tréfonds de cette affaire est simple : l'orthographe n'est pas la langue, elle ne fait que l'habiller. Les gouts changent, alors pourquoi pas le vêtement? Avec son costume allégé, la dentelière d'aujourd'hui a-t-elle perdu de ses appâts?

> Rassurez-vous, les textes que vous rédigez vous-même contiennent probablement un mot à rectifier par page en moyenne. Dans le texte ci-dessus, l'auteur (Alain Decaux) avait condensé, pour le but de l'exercice, tous les mots soulignés.

| Exercice – dans la publicité

SOULIGNEZ LES GRAPHIES RECTIFIÉES DANS LES SLOGANS OU TITRES SUIVANTS.

NoosTV Magic : 100 chaines pour 11 euros par mois.
– Publicité de Noos, opérateur de téléphonie.

Ensorcèle-moi !
– Publicité pour un téléphone portable de Samsung.

Responsable du centre des brulures.
– Dans une émission de Savoir plus santé sur France 2.

Régime à la chaine.
– Titre dans un journal télévisé de France 3.

800 grammes dans une toute nouvelle boite.
– Autocollant apposé sur une nouvelle boite d'Ovomaltine.

| Réponses

NoosTV Magic : 100 chaines pour 11 euros par mois. – Ensorcèle-moi ! – Responsable du centre des brulures. – Régime à la chaine. – 800 grammes dans une toute nouvelle boite.

---

[*] La variante *gaiement* est aussi admise.

Exercice – dans les publications

SOULIGNEZ LES GRAPHIES RECTIFIÉES DANS LES EXTRAITS SUIVANTS.

Septembre restaure les horaires scolaires et professionnels. [...] En peu de temps, on se prépare un repas léger, salade et crudités en tête. Avec moins de temps, on se l'achète déjà préparé, fraicheur et saveurs garanties. Pitas et sandwichs, au pain de qualité, peuvent s'avérer délicieux avec des garnitures inventives et généreuses. Prêtes à être consommées, les salades de fruits hydrateront et rafraichiront l'organisme. Quelques fruits nature tels que la banane, les raisins ou la figue sont à privilégier pour garder le tonus tout l'après-midi. On le voit, dans cette cuisine particulière, l'imagination et la simplicité sont au pouvoir. En soirée, on se retrouve entre devoirs et diner.
– *Extrait de l'éditorial du* Lion *(mensuel belge) n° 118, septembre 2004.*

[...] Puis, pour vous amuser le temps d'un weekend, nous avons trois suggestions de boites de nuit new-yorkaises bien branchées.
– *Extrait de l'éditorial de* La Voix du Village *(mensuel québécois) n° 6, volume 2, septembre 2004.*

En fait, nous venons de commettre un contresens. [...] Ce qui est donné ici est une révélation. Elle nait du jeu simultané de deux sollicitations : d'abord, le premier regard rencontre évidemment l'autel. [...] D'autre part, tout à la fois et contrairement à ce qui se passe lorsqu'on entre par la petite porte, le regard est saisi par un éblouissement : on pénètre dans un immense lieu de lumière [...]. Et de lumière joyeuse – celle qui ruissèle des peintures et des fresques dont, au premier abord, on ne perçoit pas bien le détail mais seulement, de façon globale, les couleurs où dominent largement les tons clairs et vifs.
– *Extrait de* La Chapelle sixtine. La Voix nue, *de Michel Masson, éditions du Cerf (Paris), 2004.*

Réponses

Septembre restaure les horaires scolaires et professionnels. [...] En peu de temps, on se prépare un repas léger, salade et crudités en tête. Avec moins de temps, on se l'achète déjà préparé, fraicheur et saveurs garanties. Pitas et sandwichs, au pain de qualité, peuvent s'avérer délicieux avec des garnitures inventives et généreuses. Prêtes à être consommées, les salades de fruits hydrateront et rafraichiront l'organisme. Quelques fruits nature tels que la banane, les raisins ou la figue sont à privilégier pour garder le tonus tout l'après-midi. On le voit, dans cette cuisine particulière, l'imagination et la simplicité sont au pouvoir. En soirée, on se retrouve entre devoirs et diner.

[...] Puis, pour vous amuser le temps d'un weekend, nous avons trois suggestions de boites de nuit new-yorkaises bien branchées.

En fait, nous venons de commettre un contresens. [...] Ce qui est donné ici est une révélation. Elle nait du jeu simultané de deux sollicitations : d'abord, le premier regard rencontre évidemment l'autel. [...] D'autre part, tout à la fois et contrairement à ce qui se passe lorsqu'on entre par la petite porte, le regard est saisi par un éblouissement : on pénètre dans un immense lieu de lumière [...]. Et de lumière joyeuse – celle qui ruissèle des peintures et des fresques dont, au premier abord, on ne perçoit pas bien le détail mais seulement, de façon globale, les couleurs où dominent largement les tons clairs et vifs.

Résumé

CE QU'IL FAUT RETENIR

Dans ce livre, vous avez pu lire de nombreux conseils pratiques et différentes informations pertinentes sur les rectifications orthographiques. Puisque ces dernières ont précisément pour but de régulariser l'orthographe et qu'elles vont dans le sens de la cohérence, vous devriez pouvoir vous y adapter rapidement.

Rappelez-vous qu'« aucune des deux graphies ne peut être tenue pour fautive » : aussi bien l'ancienne orthographe que la nouvelle sont correctes. Il parait toutefois logique de donner priorité à la nouvelle orthographe, appelée à supplanter l'ancienne.

Vrai ou faux ?

Du vrai...

- ▶ Les rectifications apportent de la cohérence au système orthographique du français.

- ▶ Les rectifications éliminent des anomalies non justifiées.

- ▶ Les rectifications uniformisent certains phénomènes orthographiques et rendent plus systématique l'emploi de certaines règles déjà existantes.

- ▶ Les rectifications ne sont pas obligatoires, mais recommandées.

- ▶ Les rectifications ont été approuvées par les instances francophones compétentes.

- ▶ Les rectifications sont déjà intégrées en tout ou en partie dans la plupart des ouvrages de référence et dans les logiciels de correction.

- ▶ Aucun élève ne peut être pénalisé pour avoir utilisé les nouvelles graphies (évidemment, puisqu'elles sont déjà dans plusieurs dictionnaires mis à jour).

...et du faux

- ▶ Les rectifications n'ont pas été établies pour niveler par le bas. Elles permettent plutôt une régularité plus grande dans le système de l'orthographe du français (régularisation du singulier et du pluriel des noms composés, emploi systématique du trait d'union ou de la soudure, francisation des mots étrangers, mots de même famille harmonisés, accentuation plus conforme aux règles orthographiques et à la prononciation, etc.).

▸ Les rectifications n'ont pas été mises en place sous prétexte que les élèves faisaient trop de fautes ou qu'il fallait régler le problème de l'échec scolaire. C'est plutôt parce que le système orthographique du français souffrait de lacunes et d'incohérences flagrantes. Les rectifications réparent des incohérences et généralisent certaines règles existantes. Certes, il y a, en fin de compte, moins d'exceptions. Qui se plaindrait d'une telle amélioration logique ?

▸ Les rectifications ne touchent pas à la langue, mais seulement à l'orthographe (le « vêtement » de la langue), c'est-à-dire à la façon d'orthographier certains mots.

▸ La nouvelle orthographe n'est pas une écriture phonétique. Quelques ajustements ont été mis en place pour adapter l'orthographe de certains mots à l'évolution de la langue, c'est vrai, mais il ne s'agit que d'un nombre très restreint d'aménagements cohérents et justifiés.

▸ Les rectifications actuelles ne constituent pas une « réforme », car elles sont limitées.

▸ La nouvelle orthographe n'est pas ardue et compliquée. Les rectifications s'expliquent en une dizaine de règles générales, dont l'objectif est d'harmoniser les graphies du français (voir le résumé ci-dessous). Vous n'avez pas à retenir les deux-mille mots touchés par les rectifications : il suffit de comprendre les généralisations, et la cohérence qui les anime.

▸ Les adultes n'ont pas à tout « réapprendre ». Leurs connaissances de l'orthographe ancienne restent valables. Cependant, nous sommes dans une période de transition, et tous les francophones sont de plus en plus en contact avec la nouvelle orthographe ; c'est pourquoi il convient de prendre connaissance des nouvelles règles (simples et limitées) pour se familiariser avec les graphies rectifiées.

▸ Il n'y a pas de « date limite » pour l'utilisation de l'ancienne ou de la nouvelle orthographe. Les adultes peuvent continuer d'écrire en ancienne orthographe durant les prochaines décennies si, par exemple, ils ne considèrent pas que la régularisation du pluriel est souhaitable, s'ils veulent continuer d'utiliser des exceptions qui n'en sont plus, s'ils refusent la francisation des mots étrangers, ou s'ils ont des raisons sentimentales de vouloir conserver les accents circonflexes qui ne sont plus utiles sur *i* et *u* (à condition qu'ils sachent les mettre aux bons endroits)... Vous savez que les variantes *clé* et *clef* sont admises depuis de très nombreuses années et que la seconde figure toujours dans les dictionnaires. Il en sera de même pour les graphies anciennes, par respect pour les générations plus âgées.

▶ La beauté du français n'est pas altérée par les rectifications orthographiques, puisque l'orthographe n'est pas la langue. Peut-on voir la beauté d'une langue dans les incohérences de son orthographe ? Elle se trouve dans sa maniabilité et dans tout ce qu'elle permet d'exprimer, non dans la façon d'orthographier *abime*… Les rectifications ont d'ailleurs été élaborées par des spécialistes qui étaient amoureux, comme vous, de notre belle langue.

▶ Les rectifications ne défigurent pas un texte : elles touchent en moyenne un mot par page, et il s'agit souvent d'un accent.

▶ Il est faux de penser que les changements apportés à l'orthographe sont fréquents, et que ces rectifications constituent des modifications de plus, parmi tant d'autres. Il est vrai que de nouveaux mots et de nouveaux sens (néologismes) apparaissent régulièrement, mais les rectifications actuelles sont les seuls changements notables apportés à l'orthographe du français dans les deux-cent-soixante dernières années. Il était temps qu'un petit ménage soit fait !

▶ Il est faux de penser que les dictionnaires et les logiciels ne sont pas encore à jour. *Le Petit Robert* incluait en 2004 déjà près de 60 % des graphies rectifiées. Le *Dictionnaire Hachette* a connu une mise à jour complète (100 %), les logiciels Antidote et ProLexis ont intégré entièrement les rectifications, le *Dictionnaire* de l'Académie française inclut toutes les nouvelles graphies dans sa dernière édition, le *Bescherelle pratique* signale toutes les graphies rectifiées, etc.

▶ Les *ph* ne sont pas transformés en *f* en nouvelle orthographe. Seul le mot *nénufar* (voir p. 103) a été rectifié, par respect de son étymologie : il s'agissait bel et bien d'une erreur historique isolée. Donc, l'orthographe de mots comme *éléphant, pharmacien, photo* n'est pas modifiée.

▶ Le pluriel des mots en *-al* n'est pas modifié. *Cheval* continue d'avoir pour pluriel *des chevaux* (voir p. 65).

Résumé des règles

▶ **Les numéraux composés sont systématiquement reliés par des traits d'union.** Exemples : *vingt-et-un, deux-cents, trois-millième*.

▶ **Dans les noms composés du type *pèse-lettre* (verbe + nom) ou *sans-abri* (préposition + nom), le second élément prend la marque du pluriel lorsque le mot est au pluriel.** Exemples : *un compte-goutte, des compte-gouttes; un après-midi, des après-midis*.

▶ **On emploie l'accent grave (plutôt que l'accent aigu) dans un certain nombre de mots (pour régulariser leur orthographe) et au futur et au conditionnel des verbes qui se conjuguent sur le modèle de *céder*.** Exemples : *évènement, règlementaire, je cèderai, ils règleraient*.

▶ **L'accent circonflexe disparait sur *i* et *u*. On le maintient néanmoins dans les terminaisons verbales du passé simple, du subjonctif et en cas d'ambigüité.** Exemples : *cout; entrainer, nous entrainons; paraitre, il parait*.

▶ **Les verbes en *-eler* ou *-eter* se conjuguent sur le modèle de *peler* ou de *acheter*. Les dérivés en *-ment* suivent les verbes correspondants. Font exception à cette règle *appeler*, *jeter* et leurs composés (y compris *interpeler*).** Exemples : *j'amoncèle, amoncèlement, tu époussèteras*.

▶ **Les mots empruntés forment leur pluriel de la même manière que les mots français et sont accentués conformément aux règles qui s'appliquent aux mots français.** Exemples : *des matchs, des miss, révolver*.

▶ **La soudure s'impose dans un certain nombre de mots, en particulier dans les mots composés de *contr(e)-* et *entr(e)-*, dans les onomatopées, dans les mots d'origine étrangère et dans les mots composés avec des éléments « savants ».** Exemples : *contrappel, entretemps, tictac, weekend, agroalimentaire, portemonnaie*.

▶ **Les mots anciennement en *-olle* et les verbes anciennement en *-otter* s'écrivent avec une consonne simple. Les dérivés du verbe ont aussi une consonne simple. Font exception à cette règle *colle, folle, molle* et les mots de la même famille qu'un nom en *-otte* (comme *botter*, de *botte*).** Exemples : *corole; frisoter, frisotis*.

▶ **Le tréma est déplacé sur la lettre *u* prononcée dans les suites *-güe-* et *-güi-* et est ajouté dans quelques mots.** Exemples : *aigüe, ambigüe; ambigüité; argüer*.

(Tiré du miniguide du site www.orthographe-recommandee.info)

Bibliographie
et adresses

Documents de référence recommandés

Présentation de la nouvelle orthographe

▶ Site d'information sur la nouvelle orthographe : www.orthographe-recommandee.info.

→ Ce site propose de nombreuses informations destinées aussi bien au grand public qu'aux professionnels ; on peut notamment y télécharger le miniguide *La nouvelle orthographe, parlons-en !* qui présente toutes les nouvelles règles, ou encore le logo de conformité présenté à la page 26. Vous y trouverez également plusieurs liens vers d'autres sites, dont l'un vers des exercices en ligne conçus avec notre étroite collaboration quant à la forme et au contenu.

▶ RENOUVO (Réseau pour la nouvelle orthographe du français). *Vadémécum de l'orthographe recommandée. Le millepatte sur un nénufar*, éditions RENOUVO, 40 pages [www.renouvo.org].

→ Cette brochure propose une présentation complète des nouvelles règles ainsi qu'une liste exhaustive des mots concernés par les modifications orthographiques. Elle peut être commandée à très bas prix auprès des associations du RENOUVO (adresses ci-dessous).

Quelques ouvrages pratiques sur l'orthographe

▶ Antidote Prisme [outil informatique d'aide à la rédaction organisé autour d'un correcteur avancé], éditions Druide informatique inc. [www.druide.com].

→ Antidote Prisme est un correcteur informatique avancé pourvu de dictionnaires (définitions, synonymes, conjugaison, grammaire) et de nombreuses fonctions. En correction, il permet de ne retenir que la nouvelle orthographe, de retenir seulement l'ancienne, ou d'accepter les deux. Il peut également relever en un seul coup d'œil toutes les graphies anciennes ou nouvelles d'un texte, grâce aux prismes de description.

▶ BLAMPAIN, Daniel et Joseph HANSE. *Nouveau dictionnaire des difficultés du français moderne*, 4ᵉ édition, éditions Duculot, 2000, 656 pages.

→ Le «Hanse», désormais disponible en version électronique, contient maintenant toutes les graphies rectifiées.

▶ CATACH, Nina. *Histoire de l'orthographe française*, édition posthume par Renée Honvault avec la collaboration d'Irène Rosier-Catach, éditions Slatkine, collection «Lexica – Mots et dictionnaires», 2001, 425 pages.

→ Nina Catach a participé très activement à l'élaboration des rectifications orthographiques. Cette publication posthume très complète et accessible est particulièrement recommandée.

▶ *Dictionnaire* de l'Académie française, 9ᵉ édition, Imprimerie nationale – éditions Fayard. [Ce dictionnaire est publié par fascicules. Les deux premiers tomes sont déjà parus; ils sont disponibles en ligne : http://atilf.atilf.fr/academie9.htm].

→ Le dictionnaire signale toutes les graphies rectifiées. L'Académie précise qu'«aucune des deux graphies [ni l'ancienne ni la nouvelle] ne peut être tenue pour fautive».

▶ *Dictionnaire Hachette*, éditions Hachette Livre.

→ Ce dictionnaire d'usage courant (qui regroupe dans le même ordre alphabétique noms propres et noms communs), refondu de manière complète récemment, est très maniable. Il prend en compte toute la nouvelle orthographe et est doté de plus de dix pages d'annexes grammaticales, qui appliquent entièrement la nouvelle orthographe.

▶ *Dictionnaire historique de la langue française*, sous la direction de Nina Catach, éditions Larousse, collection «Trésors du français», 1995, 1358 pages.

→ Il s'agit là de l'œuvre majeure de Nina Catach. La consultation de ce dictionnaire permet de se rendre compte à quel point l'orthographe a évolué à travers les siècles.

▶ GOOSSE, André. *La «nouvelle orthographe». Exposé et commentaires*, éditions Duculot, 1991, 136 pages.

→ André Goosse a fait partie du groupe des spécialistes qui ont élaboré les rectifications orthographiques. Cet ouvrage livre de nombreuses explications historiques et des justifications.

▶ GREVISSE, Maurice et André GOOSSE. *Le bon usage*, éditions Duculot.

→ *Le bon usage*, fameuse grammaire de Maurice Grevisse continuée par André Goosse, a été primé par l'Académie française.

▶ GREVISSE, Maurice. *La force de l'orthographe. 300 dictées progressives commentées*, 3ᵉ édition revue par André Goosse, éditions Duculot, collection «Entre guillemets», 2004, 370 pages.

→ Cet ouvrage propose divers types de dictées (dictées portant sur des points précis d'orthographe grammaticale, dictées de concours…), et signale systématiquement toutes les variantes possibles et acceptables.

▶ GREVISSE, Maurice. *Le français correct. Guide pratique*, 5ᵉ édition révisée et actualisée par Michèle Lenoble-Pinson, éditions Duculot, collection « Entre guillemets », 2000, 396 pages.

→ Sans doute l'un des meilleurs guides pratiques du genre, utile au quotidien pour déjouer les difficultés du français. Les rectifications sont systématiquement prises en compte.

▶ MASSON, Michel. *L'orthographe : guide pratique de la réforme*, Le Seuil, collection « Points actuels », 1991, 190 pages.

→ Dans ce petit livre, Michel Masson, linguiste, répond à différentes questions relatives au bienfondé des rectifications orthographiques.

▶ ProLexis [correcteur informatique avancé pour professionnels], éditions Diagonal [www.prolexis.com].

→ Ce correcteur informatique avancé est destiné aux professionnels. Il permet une correction soit en nouvelle, soit en ancienne orthographe.

▶ RAMAT, Aurel. *Le Ramat de la typographie*, huitième édition, éditions Aurel Ramat, 2004, 224 pages [www.ramat.fr].

→ Ce guide pratique québécois, destiné à toutes les personnes qui doivent rédiger un texte en français sur ordinateur, explique l'art de la mise en page et les règles qui régissent les abréviations, l'emploi des majuscules, la syntaxe des nombres, l'orthographe, la ponctuation, etc. Il est édité depuis plus de vingt ans sans interruption et applique intégralement la nouvelle orthographe depuis sa dernière édition.

ADRESSES UTILES

Les associations dont les adresses sont données ci-après forment le RENOUVO (Réseau pour la nouvelle orthographe du français). Pour devenir membre de l'une de ces associations, contactez celle de votre région afin de connaitre les modalités d'adhésion. C'est auprès de ces associations que l'on peut se procurer le *Vadémécum de l'orthographe recommandée*.

Belgique

Association pour l'application des recommandations orthographiques (APARO)
29, rue du Serpentin
1050 Bruxelles (Belgique)
aparo@renouvo.org

France

Association pour l'information et la recherche sur les orthographes et les systèmes d'écriture (AIROÉ)
14, rue Louis-Grobert
13001 Marseille (France)
airoe@renouvo.org

Québec

Groupe québécois pour la modernisation de la norme du français (GQMNF)
6987, rue De La Roche
Montréal (Québec) H2S 2E6
Canada
gqmnf@renouvo.org

Suisse

Association pour la nouvelle orthographe (ANO)
Boite postale 106
1680 Romont (Suisse)
ano@renouvo.org

Index

Table des matières

Pour commander cet ouvrage :

en Europe
dechamplainsf@laposte.net

en Amérique
livres@dechamplain.ca

Pour écrire aux auteurs :

Chantal Contant
chantal.contant@dechamplain.ca
7F-2100, boulevard Lévesque Est – Laval (Québec) H7G 4W9 – Canada

Romain Muller
Poste restante – 01210 Ferney-Voltaire – France

Achevé d'imprimer en janvier 2005

Dépôt légal :
Bibliothèque nationale du Canada, premier trimestre 2005
Bibliothèque nationale du Québec, premier trimestre 2005
Bibliothèque nationale de France, premier trimestre 2005

Imprimé au Canada par Complètement Litho à Anjou (Québec)

Éditeur :
De Champlain S. F. inc. – 1002-6455, rue Jean-Talon Est
Montréal (Québec) H1S 3E8 – Canada

ISBN 2-9808720-0-8

Vadémécum de l'orthographe recommandée

Cette brochure de 40 pages explique les règles de la nouvelle orthographe et contient la liste des deux-mille mots touchés par les rectifications orthographiques.

On peut se la procurer à prix modique auprès des associations du RENOUVO :
- airoe@renouvo.org (France)
- ano@renouvo.org (Suisse)
- aparo@renouvo.org (Belgique)
- gqmnf@renouvo.org (Québec)

Contes éducatifs amusants

Pour comprendre et retenir les règles d'accord du participe passé

Pour découvrir l'univers de la phrase

Pour se familiariser avec la conjugaison verbale

Ces contes illustrés conjuguent l'imaginaire fantastique et les applications grammaticales.

Les personnages colorés le roi *Le Verbe*, sa fille *Participe Passé*, le copain *Être*, bébé *Virgule* et tous leurs amis constituent un moyen original et concret d'améliorer la compréhension de la grammaire chez les jeunes. Des questions pour l'enfant et des explications accompagnent chaque histoire. Même les grands s'amuseront à la lecture de ces récits.

Pour savoir comment se procurer les contes de la collection Aventures au village de La Phrase, écrire à contes@dechamplain.ca.